# EL PRINCIPIO DEL PLACER
# Y OTROS CUENTOS

*colección andanzas*

# Libros de José Emilio Pacheco en Tusquets Editores

# JOSÉ EMILIO PACHECO
# EL PRINCIPIO DEL PLACER
# Y OTROS CUENTOS

SP
FIC
PACHECO
2010

TUSQUETS
EDITORES

1.ª edición: septiembre de 2010

D.R. © 2009, Ediciones Era, México

Diseño de la colección: Guillemot-Navares
Reservados todos los derechos de esta edición para
Tusquets Editores, S.A. - Cesare Cantù, 8 - 08023 Barcelona
www.tusquetseditores.com
ISBN: 978-84-8383-255-4
Depósito legal: B. 25.766-2010
Fotocomposición: Pacmer, S.A. - Alcolea, 106-108, 1.º - 08014 Barcelona
Impresión: Reinbook Imprès, S.L.
Encuadernación: Reinbook
Impreso en España

# Índice

## El viento distante

## El principio del placer

# EL VIENTO DISTANTE

A Carlos Fuentes

A Elena Poniatowska

*Labyrinthe, la vie, labyrinthe la mort*
*Labyrinthe sans fin, dit le Maître de Ho.*

Henri Michaux

# El parque hondo

A Salomón Laiter,
*in memoriam*

Todas las tardes, cuando salía de la escuela, Arturo miraba la gran extensión verde situada abajo de la calle. Pero esa vez fue hasta el estanque de aguas inmóviles. Al ver que oscurecía entre los árboles, tuvo miedo y se alejó casi huyendo del parque hondo.

–Si no te gusta no lo comas. Pero te prohíbo que en la noche saques cosas del refrigerador. –La tía Florencia retiró el plato de albóndigas con arroz. Arturo dio algunos sorbos a la leche tibia y juntó las migajas que salpicaban el mantel.

Iba a cumplir nueve años. El mundo se reducía a Florencia, la casa de un piso, la gata que no se dejaba tocar, la primaria «Juan A. Mateos» y Rafael, su condiscípulo, su amigo, el que lo acompañaba en las funciones de cine y la pesca furtiva en el estanque del parque hondo.

Meses atrás Arturo llevó a casa un sapito envuelto en un pañuelo húmedo. Florencia le pegó en las manos y arrojó el sapo al calentador en que ardían leños y periódicos viejos. Después Arturo compró un ratón blanco. Florencia no le dijo nada. Se limitó a sonreír y a regocijarse cuando la gata saltó sobre él y lo mató sin que Arturo pudiera arrebatárselo.

Volvió a la sala, tomó el cuaderno de aritmética y se puso a resolver los quebrados. Al terminar dejó su lápiz junto al retrato del hombre que cada mes lo visitaba y le daba algo de dinero. Arturo nunca quiso llamarlo «papá» como a él le hubiera gustado.

Una noche se enteró de todo. Estaba a punto de dormirse cuando llegó hasta él la voz de su tía. Florencia, en la sala, echaba la baraja ante una de sus clientas.

–Hace siete años que ella no lo ve. Desde luego, lo intenta pero no la dejamos. Arturo cree que su mamá se fue al cielo y que su papá lo visita sólo de cuando en cuando porque es piloto aviador y siempre anda de viaje. A los niños no se les puede contar la verdad. Ricardo tiene una nueva familia y lo anterior, gracias a Dios, quedó borrado. El chico no es mayor problema. Vive conmigo desde que su madre lo abandonó y, ya ve usted, lo estoy educando como formé a mi hermano. Lo terrible, señora, es que el dinero ya no alcanza para nada. No puedo exigirle más a Ricardo porque él tiene muchos gastos con su esposa y sus niñas. Me veo obligada a buscar por todas partes. Desde los quince años he trabajado de sol a sol. Ésa fue mi cruz. Primero por mi hermano y ahora por mi sobrino. Para mí no hubo novios ni fiestas ni diversiones. No me quejo. Nuestro Señor sabe lo que hace. Mi única compañía es mi gatita, porque Arturo es un ingrato y ni siquiera me dirige la palabra... Ay, señora, perdone. Usted con sus problemas y yo dándole lata con los míos. No me haga caso, por favor... Baraje siete veces. Pártame en dos las cartas y luego tóquelas.

Florencia entró en el cuarto de Arturo. Llevaba en brazos a la gata:

–¿Dijiste ya tus oraciones? Híncate. Anda, vamos los dos.

Se arrodillaron al lado de la cama. La gata saltó y se acomodó entre las almohadas. Al terminar Florencia la recobró, besó al niño en la frente y salió de la habitación. Arturo temió que los pelos grises, brillantes en la blancura de la sábana, entraran en su boca y se abrieran camino hasta los pulmones. *Es horrible la gata. No sé cómo la quiere tía Florencia.*

–¿La envenenaste? –preguntó Rafael.

–No, cómo crees. Sola se puso mal. No quiere comer y chilla todo el tiempo. La vieja cree que los vecinos de enfrente le dieron matarratas.

Sentados en el parque miraban las frondas agitadas por el viento. Con un lápiz sin punta Arturo trazaba signos en la tierra.

–Mira, un trébol de cuatro hojas –gritó Rafael.

19

—No: tiene cinco. Fíjate bien.

—Lástima, parecía de buena suerte.

—Oye, completé mi álbum de toreros. Ven a la casa para que te lo enseñe.

—Se enoja tu tía.

—Ni se da cuenta: está muy triste por lo de la gata.

Desde la esquina vieron acercarse a Florencia. No contestó el saludo de Rafael. Miró de frente a Arturo y dijo:

—La gatita ya no tiene remedio. No quiero que siga sufriendo. Tienes que llevarla al veterinario. Aquí está la dirección del consultorio. Queda muy cerca. Di que vas de mi parte y entrega al animalito junto con estos billetes. No veas cómo la inyectan.

—¿Qué hago con el cadáver?

—Ellos se encargarán de incinerarlo.

Entraron en la casa. La gata estaba inmóvil en el sofá. Arturo comprobó que aún respiraba. Florencia la besó, la acarició y la cubrió de lágrimas. Incómoda ante la presencia de Rafael, se sintió obligada a explicar:

—No saben lo que siento. Me ha acompañado por más de diez años. No volverá a haber otra igual.

La acomodó entre algodones en una bolsa de henequén. Salieron a la calle. Florencia se quedó a las puertas de la casa y siguió llorando mientras los niños se perdían de vista.

–¿Cuánto traes? –preguntó Rafael.

Arturo le mostró los billetes.

–¿Todo eso te dio? ¿Tanto cobran por matar a una gata?

–Es la tarifa del veterinario.

–¿Sabes qué se me ocurre?: dejarla en el parque y quedarnos con el dinero.

–Jamás. ¿Te imaginas si revive y si vuelve? Mi tía me mata, de verdad me asesina. La gata ha estado perdida muchas veces y siempre regresa. A lo mejor lo hace de nuevo.

–Pero si ya se está muriendo. ¿No la ves? Haremos una obra de caridad al rematarla.

–Me da miedo. Si mi tía se da cuenta...

–No lo sabrá nunca. Imagínate lo que podemos hacer con ese dinero: ir al cine, a remar en Chapultepec, comprar toda clase de dulces y de refrescos. En fin...

Arturo palpó el cuerpo bajo la bolsa de henequén. *¿Estará muerta? Es mala. Florencia la quiere más que a mí.*

–No, no me atrevo. Te juro que me da lástima la gata.

–De todos modos se va a morir, ¿no? Deja la bolsa enmedio de la calle. Con tantos coches ni quién se entere.

–Pero sufriría mucho. Un día me tocó ver a un perro...

–Tienes razón. Busquemos otra forma.

—¿Dársela a alguien?

—¿Estás loco?... Ya sé: la echamos al agua.

—No seas tonto: los gatos saben nadar.

—Mira, vamos al parque. A estas horas no hay nadie.


En el parque desierto el olor del estanque se difundía entre los árboles. Rafael saltó para alcanzar las ramas bajas y luego imitó una cabalgata. Dijo:

—Oye, ¿por qué no la ahorcamos?

—Sufriría mucho —repitió Arturo. La gata se revolvió en el interior de su prisión. *No debo tener miedo. Mejor acabar con ella de una vez.*

—Cuidado; no abras la bolsa: puede escaparse.

—No. ¿Te imaginas? Mi tía es capaz de todo si sabe que la desobedecimos y nos robamos el dinero.

Arturo se estremeció de frío y chasqueó los dedos. La noche estaba a punto de caer. Rafael descubrió un trozo de concreto perdido entre las hierbas, parte de algún proyecto abandonado. Se acercó a él y logró levantarlo.

—Ya estuvo: sosténme a la gata y yo le aviento esta piedrota.

—¿No hay otro remedio?

—Haz lo que te digo.

Arturo sacó a la gata inerte y la alzó por el vientre.

—Apúrate. Esto pesa muchísimo. Tengo que acertarle en la cabeza.

—Ahora. No me vayas a dar.

Rafael mantuvo en vilo el trozo de concreto:

–Cuento hasta tres y se lo tiro. Ahí va: uno, dos...

La gata intuyó el peligro y volvió a ser flexible. Se arrancó de las manos de Arturo, saltó, cayó ilesa varios metros adelante y corrió a perderse en un matorral.

–No la agarraste bien. Qué bruto eres.

–No pude. Se me zafó quién sabe cómo.

Arturo quedó inmóvil. Un minuto después urgió:

–Está viva. Hay que buscarla. Regresará. Mi tía Florencia nos va a asesinar.

–Ahora sí la fregamos. Llámala a ver si viene.

–Sí, cómo no. Los gatos son inteligentísimos. Ya la oigo diciéndonos: «Aquí estoy a sus órdenes. Mátenme por favor y gástense el dinero». Además a mí nunca me obedeció.

Durante mucho tiempo buscaron, llamaron, abrieron la maleza, observaron las ramas de los árboles, rastrearon cada sitio del parque entre el rumor de grillos, ranas, pájaros: todos los seres de la noche que ocultaba a la gata. Cansado y temeroso, Arturo se despidió de Rafael. Regresó con el terror de hallarla en el sofá. Pero en la sala nada más estaba Florencia. Jugaba con las cartas y no había dejado de llorar.

–Perdón por la tardanza. Había mucha gente en el consultorio y tuve que esperar el último turno.

–¿La entregaste en manos del doctor?

–Sí. Me dijo que no habría ningún problema.

–Te veo muy mal... Lo entiendo, claro. Debí haber ido yo misma... ¿Quieres merendar?

–No, gracias. Voy a acostarme.

–No sabes cómo extraño a la gatita. Mañana a primera hora iré por sus cenizas. Mientras yo viva me acompañará en esta casa.


El alba lo encontró insomne entre las sábanas revueltas. *No quiero imaginarme qué va a pasar cuando Florencia se entere de que no llegamos al consultorio. No creerá nunca que la gata escapó. Dirá: «Tú siempre la odiaste. Fue tu venganza. No te perdonaré nunca. Ese niño es malo. Él te aconsejó. Ustedes la mataron para hacerme daño y robarme el dinero. Maldito, hijo de tu madre tenías que ser. Ahora verás quién soy yo. Acabo de hablar con mi hermano y te vas derechito al reformatorio, a pudrirte con ladrones y asesinos de tu calaña». No, él me defenderá. O quién sabe: nunca he sido cariñoso ni le agradezco sus regalos. Por culpa de Rafael estoy en un lío del que nadie me sacará.*

Ahora su única esperanza era el regreso de la gata. En el ruido más leve creía escuchar sus pasos. *Mira, tía, te juro por Dios Santo que no nos atrevimos a llevarla para que la mataran. Revivió y por eso la dejamos libre en el parque. Comprende, tía Florencia, yo también quiero mucho a la gatita.*

No pudo más. Se levantó, sacó los billetes que había ocultado en el clóset, los rompió y los echó por la ventana. El viento dispersó los trozos de papel. *Tal vez lo mejor será huir y no volver nunca. Pero ¿adónde iré si no sé hacer nada y ni siquiera conozco bien la ciudad?*

Florencia escuchó ruidos y abrió los ojos. En vano buscó a su lado el cuerpo que pulían sus caricias. Lentas, inútiles caricias con que Florencia se gastaba, se iba olvidando de los días.

Tarde de agosto

A la memoria de Manuel Michel

Nunca vas a olvidar esa tarde de agosto. Tenías catorce años, ibas a terminar la secundaria. No recordabas a tu padre, muerto al poco tiempo de que nacieras. Tu madre trabajaba en una agencia de viajes. Todos los días, de lunes a viernes, te despertaba a las seis y media. Quedaba atrás un sueño de combates a la orilla del mar, ataques a los bastiones de la selva, desembarcos en tierras enemigas. Y entrabas en el día en que era necesario vivir, crecer, abandonar la infancia. Por la noche miraban la televisión sin hablarse. Luego te encerrabas a leer las novelas de una serie española, la Colección Bazooka, relatos de la Segunda Guerra Mundial que idealizaban las batallas y te permitían entrar en el mundo heroico que te gustaría haber vivido.

El trabajo de tu madre te obligaba a comer en casa de su hermano. Era hosco, no te manifestaba ningún afecto y cada mes exigía el pago puntual de tus alimentos. Pero todo lo compensaba la presencia de Julia, tu inalcanzable prima hermana. Julia estudiaba ciencias químicas, era la única que te daba un lugar en el mundo, no por amor, como creíste entonces, sino por la compasión que despertaba el intruso, el huérfano, el sin derecho a nada.

Julia te ayudaba en las tareas, te dejaba escuchar sus discos, esa música que hoy no puedes oír sin recordarla. Una noche te llevó al cine, después te presentó a su novio. Desde entonces odiaste a Pedro. Compañero de Julia en la universidad, se vestía bien, hablaba de igual a igual con tu familia. Le tenías miedo, estabas seguro de que a solas con Julia se burlaba de ti y de tus novelitas de guerra que llevabas a todas partes. Le molestaba que le dieras lástima a tu prima, te consideraba un testigo, un estorbo, desde luego nunca un rival.

Julia cumplió veinte años esa tarde de agosto. Al terminar el almuerzo, Pedro le preguntó si quería pasear en su coche por los alrededores de la ciudad. Ve con ellos, ordenó tu tío. Sumido en el asiento posterior te deslumbró la luz del sol y te calcinaron los celos. Julia reclinaba la cabeza en el hombro de Pedro, Pedro conducía con una mano para abrazar a Julia, una canción de entonces trepidaba en la radio, caía la tarde en la ciudad de piedra y polvo. Viste perderse en la ventanilla las últimas casas y los cuarteles y los cementerios. Después (Julia besaba a Pedro, tú no existías hundido en el asiento posterior) el bosque, la montaña, los pinos desgarrados por la luz llegaron a tus ojos como si los cubrieran para impedir el llanto.

30

Al fin Pedro detuvo el Ford frente a un convento en ruinas. Bajaron y anduvieron por galerías llenas de musgos y de ecos. Se asomaron a la escalinata de un subterráneo oscuro. Hablaron, susurraron, se escucharon en las paredes de una capilla en que las piedras trasmitían las voces de una esquina a otra. Miraste el jardín, el bosque húmedo, la vegetación de alta montaña. Te sentiste ya no el huérfano, el intruso, el primo pobre que iba mal en la escuela y vivía en un edificio horrible de la colonia Escandón, sino un héroe de Dunkerque, Narvik, Tobruk, Midway, Stalingrado, El Alamein, el desembarco en Normandía, Varsovia, Monte Cassino, Las Ardenas. Un capitán del Afrika Korps, un oficial de la caballería polaca en una carga heroica y suicida contra los tanques hitlerianos. Rommel, Montgomery, Von Rundstedt, Zhukov. No pensabas en buenos y malos, en víctimas y verdugos. Para ti el único criterio era el valor ante el peligro y la victoria contra el enemigo. En ese instante eras el protagonista de la Colección Bazooka, el combatiente capaz de toda acción de guerra porque una mujer celebrará su hazaña y su victoria resonará para siempre.

La tristeza cedió lugar al júbilo. Corriste y libraste de un salto los matorrales y los setos mientras Pedro besaba a Julia y la tomaba del talle. Bajaron hasta un lugar en que el bosque parecía nacer junto a un arroyo de aguas heladas y un letrero prohibía cortar flores y molestar a los animales. Entonces Julia descubrió una ardilla en la punta de un pino y dijo: «Me gustaría llevármela a la casa». «Las ardillas no se dejan atrapar», contestó Pedro, «y si alguien lo intentara hay muchos guardabosques para castigarlo.» Se te ocurrió decir: «Yo la agarro». Y te subiste al árbol antes de que Julia pudiera decir no.

Tus dedos lastimados por la corteza se deslizaban en la resina. Entonces la ardilla ascendió aún más alto. La seguiste hasta poner los pies en una rama. Miraste hacia abajo y viste acercarse al guardabosques y a Pedro que, en vez de ahuyentarlo en alguna forma, trababa conversación con él y a Julia tratando de no mirarte y sin embargo viéndote. Pedro no te delató y el guardabosques no alzó los ojos, entretenido por la charla. Pedro alargaba el diálogo por todos los medios a su alcance. Quería torturarte sin moverse del suelo. Después presentaría todo como una broma pesada y él y Julia iban a reírse de ti. Era un medio infalible para destruir tu victoria y prolongar tu humillación.

Porque ya habían pasado diez minutos. La rama comenzaba a ceder. Sentiste miedo de caerte y morir o, lo peor de todo, de perder ante Julia. Si bajabas o si pedías auxilio el guardabosques iba a llevarte preso. Y la conversación seguía y la ardilla primero te desafiaba a unos centímetros de ti y luego bajaba y corría a perderse en el bosque, mientras Julia lloraba lejos de Pedro, del guardabosques y la ardilla, pero de ti más lejos, imposible.

Al fin el guardabosques se despidió, Pedro le dejó en la mano algunos billetes, y pudiste bajar pálido, torpe, humillado, con lágrimas que Julia nunca debió haber visto en tus ojos porque demostraban que eras el huérfano y el intruso, no el héroe de Iwo Jima y Monte Cassino. La risa de Pedro se detuvo cuando Julia le reclamó muy seria: «Cómo pudiste haber hecho eso. Eres un imbécil. Te aborrezco».

Subieron otra vez al automóvil. Julia no se dejó abrazar por Pedro. Nadie habló una palabra. Ya era de noche cuando entraron en la ciudad. Bajaste en la primera esquina que te pareció conocida. Caminaste sin rumbo algunas horas y al volver a casa le dijiste a tu madre lo que ocurrió en el bosque. Lloraste y quemaste toda la Colección Bazooka y no olvidaste nunca esa tarde de agosto. Esa tarde, la última en que tú viste a Julia.

El viento distante

A Edith Negrín

La noche es densa. Sólo hay silencio en la feria ambulante. En un extremo de la barraca el hombre cubierto de sudor fuma, se mira al espejo, ve el humo al fondo del cristal. Se apaga la luz. El aire parece detenido. El hombre va hasta el acuario, enciende un fósforo, lo deja arder y mira la tortuga que yace bajo el agua. Piensa en el tiempo que los separa y en los días que se llevó un viento distante.

Adriana y yo vagábamos por la aldea. En una plaza encontramos la feria. Subimos a la rueda de la fortuna, el látigo y las sillas voladoras. Abatí figuras de plomo, enlacé objetos de barro, resistí toques eléctricos y obtuve de un canario amaestrado un papel rojo que predecía mi porvenir.

Hallamos en esa tarde de domingo un espacio que permitía la dicha; es decir, el momentáneo olvido del pasado y el futuro. Me negué a internarme en la casa de los espejos. Adriana vio a orillas de la feria una barraca aislada y miserable. Cuando nos acercamos el hombre que estaba a las puertas recitó:

—Pasen, señores. Conozcan a Madreselva, la infeliz niña que un castigo del cielo convirtió en tortuga por desobedecer a sus mayores y no asistir a misa los domingos. Vean a Madreselva. Escuchen en su boca la narración de su tragedia.

Entramos. En un acuario iluminado estaba Madreselva con su cara de niña y su cuerpo de tortuga. Adriana y yo sentimos vergüenza de estar allí y disfrutar la humillación del hombre y de una niña que con toda probabilidad era su hija. Terminado el relato, Madreselva nos miró a través del acuario con la expresión del animal que se desangra bajo los pies del cazador.

—Es horrible, es infame —dijo Adriana en cuanto salimos de la barraca.

—Cada uno se gana la vida como puede. Hay cosas mucho más infames. Mira, el hombre es un ventrílocuo. La niña se coloca de rodillas en la parte posterior del acuario. La ilusión óptica te hace creer que en realidad tiene cuerpo de tortuga. Es simple como todos los trucos. Si no me crees, te invito a conocer el verdadero juego.

Regresamos. Busqué una hendidura entre las tablas. Un minuto después Adriana me suplicó que la apartara. Al poco tiempo nos separamos. Después nos hemos visto algunas veces pero jamás hablamos del domingo en la feria.

Hay lágrimas en los ojos de la tortuga. El hombre la saca del acuario y la deja en el piso. La tortuga se quita la cabeza de niña. Su verdadera boca dice oscuras palabras que no se escuchan fuera del agua. El hombre se arrodilla, la toma en sus brazos, la atrae a su pecho, la besa y llora sobre el caparazón húmedo y duro. Nadie entendería que la quiere ni la infinita soledad que comparten. Durante unos minutos permanecen unidos en silencio. Después le pone la cabeza de plástico, la deposita otra vez sobre el limo, ahoga los sollozos, regresa a la puerta y vende otras entradas. Se ilumina el acuario. Ascienden las burbujas. La tortuga comienza su relato.

Parque de diversiones

A Russell M. Cluff

I

La gente se ha congregado alrededor del sitio que ocupan los elefantes. Entre injurias y riñas todos tratan de llegar a la primera fila con objeto de no perderse un solo detalle. Los más jóvenes han subido a los árboles y asisten desde allí al espectáculo del parto. La elefanta se halla a punto de dar a luz. El dolor la enfurece y su barritar taladra los huesos. Se azota contra el muro de cemento, se arroja al suelo, vuelve a levantarse. El elefante y las personas se limitan a observar el proceso. En su furia la elefanta no ha permitido que se acerquen el domador ni el veterinario. Ambos, a distancia, aguardan impacientes el desenlace. Transcurren dos horas. Al fin, cuando ya el grupo de curiosos se ha transformado en multitud, del viejo cuerpo oscuro empieza a sobresalir un nuevo cuerpo. La muchedumbre regocijada con el dolor de la elefanta admira el nacimiento de una bestia monstruosa, llena de sangre y pelo, que se asemeja a un elefante. El animal da algunos pasos. De pronto se parte en dos, se desinfla la cubierta de hule y de su interior brota un hombre vestido de juglar que salta, da maromas y agita dos filas de cascabeles. El público aplaude y le arroja monedas. El hombre se apresura a embolsárselas y hace una reverencia. Ante la nueva salva de aplausos el elefante y la elefanta curvan la trompa, yerguen una pata. Algunos entre el público quieren silbar –pero se les acalla.

## II

Al otro extremo del zoológico se halla el jardín botánico. Pasados los invernaderos, más allá del desierto fingido y del noveno lago, surge tras un recodo la selva artificial. Este lugar resulta peligroso pues lo vigilan varios policías. A las once de la mañana entra una fila de niños guiados por su maestra de primaria. La mujer saluda a los policías, con voz marcial ordena a sus alumnos alinearse por la derecha y pide a Zamora y Láinez que den un paso al frente. Les reprocha su mala conducta, su falta de interés por los estudios, la cáscara de naranja que Zamora le tiró con resortera y las señas obscenas que hizo Láinez cuando ella corregía en el pizarrón una suma que el niño no supo resolver. Acto continuo, toma a Zamora y Láinez por las orejas y sin hacer caso de sus bramidos, estimulada por el aplauso y los gritos de sus compañeros y la indolencia de los guardianes, los acerca a los tentáculos de una planta carnívora. La planta engulle a los niños y los ablanda para digerirlos. Sólo es posible ver la dilatación de su tallo y los feroces movimientos peristálticos. Se adivinan la asfixia, los huesos quebrantados, el trabajo del ácido, la disolución de la carne. Resignada, aburrida, la maestra dicta la clase de botánica en vivo correspondiente al día de hoy. Explica a sus alumnos cómo se parece el funcionamiento de las plantas carnívoras a la acción digestiva de una boa constríctor. Un niño alza la mano, mira distraído la planta en que ya ningún movimiento puede advertirse y pregunta a la maestra qué es una boa constríctor.

III

Me encantan los domingos del parque me divierte ver tantos animales creo estar soñando me vuelve loco la alegría de contemplar fieras que juegan o hacen el amor y están siempre a punto de asesinarse con garras y colmillos me fascina verlos comer lástima que huelan tan mal o mejor dicho hiedan pues por más que se esfuerzan para tener el parque limpio todos apestan a diablos y producen mucha basura porque tragan y beben sin reposo ellos al vernos no se divierten como nosotros me duele mucho que estén allí las bestias prisioneras su vida debe de ser muy dura hacen siempre las mismas cosas para que los otros se rían de ellos y los lastimen por eso no me explico que algunos lleguen ante mi jaula y digan «Mira qué tigre, ¿no te da miedo?» porque aun si no hubiera rejas yo no me movería de aquí para atacarlos pues todos saben que siempre me han dado mucha lástima.


IV

La sección llamada por eufemismo «la cocina» o «los talleres» del parque está vedada a los espectadores. El permitir tales visiones podría tener las peores consecuencias. En un gran patio de muros roídos por la humedad se sacrifica a los caballos comprados para alimento de las fieras. Hombre humanitario, el director suaviza la brutalidad común en los mataderos. A pesar de ello, como el presupuesto apenas alcanza a cubrir sueldos, compensaciones y viáticos del director, aún no se adquiere la pistola eléctrica e imperan los métodos tradicionales: mazazo o degüello. Ancianos menores de veinte años son liquidados uno tras otro en el patio. Aquí terminan todos sin que cuenten su lealtad y sus horas infinitas de trabajo. Animales de montura y de tiro, exhaustos caballos de carrera, ponis y percherones se unen en la igualdad de la muerte, reciben el cuchillo del matarife como pago de sus esfuerzos y su vida infernal. Sólo vísceras, huesos y pellejos van a dar a las jaulas de los carnívoros. El director envía las mejores partes a sus puestos de hamburguesas y hotdogs y destina otra porción a su fábrica de alimentos para gatos y perros. Entre los visitantes y los trabajadores del parque no se menciona a los caballos. Nadie quiere ver en qué forma será recompensado su propio esfuerzo.

## V

Atrás de las jaulas se levanta la estación del ferrocarril. Muchos niños suben a él, a veces acompañados por sus padres. Cuando arranca el tren se sobresaltan. Luego miran con júbilo los bosques, la maleza, la cadena de lagos, las montañas, los túneles. Lo único singular en este tren es que nunca regresa. Y cuando lo hace los niños son ya adultos y están llenos de miedo y resentimiento.

## VI

Una familia –el padre, la madre, los dos niños– llega a la arboleda del parque y tiende su mantel sobre la hierba. El esperado día de campo ocurre al fin este domingo. A uno de los niños le dan permiso para comprar un globo. Se aleja. Sus pasos resuenan al quebrantar las hojas muertas del sendero. Cantan algunos pájaros. Se oye el rumor del agua.

El señor ordena a su esposa que empiecen a comer antes que vuelva el niño. La señora tiende el mantel y distribuye carne, pan, mantequilla, mostaza. No tardan en reunirse algunos perros y, como siempre, una hilera de hormigas avanza hacia las migajas. Los dos señores quieren mucho a los animales. Reparten cortezas de pan y trocitos de carne entre los perros y no hacen nada por impedir que las hormigas asalten la cesta que guarda el flan y las gelatinas. Al poco tiempo están rodeados por setenta perros y más o menos un billón de hormigas. Los perros exigen más comida. Rugen, enseñan los colmillos. Los señores y su hijo tienen que arrojar a las fauces sus propios bocados. Pronto quedan cubiertos de hormigas que voraz, veloz, vertiginosamente se obstinan en descarnarlos. Los perros se dan cuenta de su inferioridad y prefieren pactar con las hormigas antes de que sea tarde. Cuando el primer niño regresa a la arboleda busca a su familia y sólo encuentra repartido el botín: largas columnas de hormigas (cada una lleva un invisible pedacito de carne) y una orgía de perros que juegan a enterrar tibias y cráneos o pugnan por desarticular el mínimo esqueleto que por fin cede y en un instante más queda deshecho.


VII


A la sombra de los juegos mecánicos se yergue la isla de los monos. Un foso y una alambrada los separan de quienes, con ironía o piedad, los miran vivir. En la selva libre que sólo conoció la primera generación (ya muerta) de reclusos del parque los monos convivían en escasez y en paz, sin oprimir a los órdenes inferiores de su especie. En el sobrepoblado cautiverio disfrutan de cuanto se les antoja. La tensión, la agresiva convivencia, el estruendo letal, la falta de aire puro y espacio, los obligan a consumir toneladas de plátanos y cacahuates. Varias veces al día hombres temerosos y armados entran a limpiar la isla para que la mierda y la basura no asfixien a sus habitantes. Así pues, en principio, los cautivos tienen asegurada la supervivencia. No les hace falta preocuparse por buscar alimento y los veterinarios atienden (cuando quieren) sus heridas y enfermedades. Sin embargo, la existencia en la isla es breve y siniestra. El sistema de la prisión descansa en una jerarquía implacable. Los machos dominantes se erigen en tiranos. Hábiles en su juego pero cobardes por naturaleza, los chimpancés actúan como bufones para diversión de los de adentro y los de afuera. Minorías como el saraguato, el mono tití y el mono araña sobreviven bajo el terror. Los mandriles reverencian a los gorilas. Nadie cuida de las crías. Violencia y prostitución corrompen a todos desde pequeños. A diario aumentan los asesinatos, los robos, las violaciones, los abusos del fuerte contra el débil. En esta forma unos a otros se destruyen. Incapaces de rebelarse contra los monos sin pelambre que al capturarlos destruimos su rudo paraíso y los llevamos en féretros de hierro hasta el parque, muchos acaban por creer que los horrores de la isla son inevitables y naturales, las cosas fueron y seguirán así, el círculo de piedra y la alambrada eléctrica los encarcelarán para siempre. Sólo unos cuantos de ellos piensan que bastaría un brote de insumisión para que todo fuera diferente.

## VIII

El arquitecto que proyectó este parque conocía la novela acerca del hombre exhibido en un zoológico y decidió hacer algo aún más original. Su idea ha tenido tan buen éxito que dondequiera tratan en vano de reproducirla. La revista *Time* le dedicó varias páginas. Declaró el arquitecto: «El parque de diversiones con que he dotado a mi ciudad no es desde luego original pero quizá resulte sorprendente. En apariencia es como todos. Acuden a él personas deseosas de observar los tres reinos de la naturaleza. Este parque se halla dentro de otro parque y este otro, a su vez, invierte el proceso de las botellas que pueden vaciarse pero no ser llenadas nuevamente. Es decir, permite la entrada y clausura para siempre toda posibilidad de salida –a menos que los visitantes se arriesguen a desmantelar mi organización que aplica a la arquitectura monumental la teoría de las cajas chinas y las muñecas rusas. Porque estos parques se encuentran dentro de otros parques en que los asistentes contemplan a los que contemplan y éstos se hallan dentro de parques que contienen más parques contenidos en parques –mínimos eslabones en una cadena sinfín de parques que contienen más parques y son contenidos dentro de parques donde nadie ve a nadie sin ser al mismo tiempo mirado, juzgado y condenado. Tomemos un solo ejemplo para ilustrar lo que he dicho. Miren: La gente se ha congregado alrededor del sitio que ocupan los elefantes. Entre injurias y riñas todos tratan de llegar a la primera fila con objeto de no perderse un solo detalle. Los más jóvenes han subido a los árboles y asisten desde allí al espectáculo del parto».

La cautiva

A John Brushwood,
*in memoriam*

A las seis de la mañana un sacudimiento pareció arrancar de cuajo al pueblo entero. Salimos a la calle con miedo de que los techos se desplomaran sobre nosotros. Luego temimos que el suelo se abriera para devorarnos. Calmado el temblor, nuestras madres seguían rezando. Algunos juraban que el sismo iba a repetirse con mayor fuerza. Bajo tanta zozobra, creímos, no iban a enviarnos a la escuela. Entramos dos horas tarde y en realidad no hubo clases: nos limitamos a intercambiar experiencias.

–En pleno 1934 –dijo el profesor– ustedes no pueden creer en las supersticiones que atemorizan a sus mayores. Lo que pasó esta mañana no es un castigo divino. Se trata de un fenómeno natural, un acomodo de las capas terrestres. El terremoto nos ha permitido apreciar la superioridad de lo moderno sobre lo antiguo. Como pueden ver, los más dañados son los edificios coloniales. En cambio los modernos resistieron la prueba.

Repetimos su explicación ante nuestros padres. La consideraron una muestra del descreimiento que trataba de infundirnos la escuela oficial. Por la tarde, cuando ya todo estaba de nuevo en calma, me reuní con mis amigos Guillermo y Sergio. Guillermo sugirió ir a investigar qué había pasado en las ruinas del convento. Nos gustaba jugar en él y escondernos en sus celdas. Hacia 1580 lo construyeron en lo alto de la montaña para ejercer su dominio sobre los valles productores de trigo. En el siglo XIX lo expropió el gobierno de Juárez y durante la intervención francesa sirvió como cuartel. Por su importancia estratégica fue bombardeado en los años revolucionarios y la guerra cristera condujo a su abandono definitivo en 1929. A nadie le agradaba pasar cerca de él: «Allí espantan», decían.

Por todo esto considerábamos una aventura adentrarnos en sus vestigios, pero nunca antes nos habíamos atrevido a explorarlos de noche. En circunstancias normales nos hubiera aterrado visitar a esas horas el convento. Aquella tarde todo nos parecía explicable y divertido.

Cruzamos la pradera entre el río y el cementerio. El sol poniente iluminaba los monumentos funerarios. En vez de ascender por la rampa maltrecha que había sido el camino de los carruajes y las mulas utilizamos nuestro atajo. Subimos la cuesta hasta que el declive nos obligó a continuar casi arrastrándonos. Nadie se animaba a volver la cara por miedo de que le diera vértigo la altura. No obstante, cada uno de nosotros intentaba probar en silencio que los cobardes eran los otros dos.

Al llegar a la cima no apreciamos estragos en la fachada. Las ruinas habían vencido un intento más de pulverizarlas. Lo único extraño fue encontrar una gran cantidad de abejas muertas. Guillermo tomó una entre los dedos y volvió en silencio a nuestro lado. El patio central se hallaba cada vez más invadido por cardos y matorrales. Vigas decrépitas apuntalaban los muros agrietados.

Avanzamos por el pasillo cubierto de hierba. La humedad y el salitre habían borrado los antiguos frescos que representaban escenas de la evangelización en una zona destinada a alimentar a los trabajadores de las minas. A cada paso aumentaba nuestro temor pero nadie se atrevía a confesarlo.

El claustro nos pareció aún más devastado que otras partes del edificio. Por los peldaños rotos subimos al primer piso. Había oscurecido. Empezaba a llover. Las gotas resonaban en la piedra porosa. Los rumores nocturnos se levantaban en los alrededores. El viento parecía gemir bajo la luz difusa que precede a las tinieblas. Sólo llevábamos una lámpara de mano que Guillermo pidió prestada a su padre.

Sergio se asomó a una ventana y dijo que por el camposanto rodaban bolas de fuego. Nos estremecimos. A la distancia se escuchó un trueno. Varios murciélagos se desprendieron del techo y su aleteo repercutió entre las bóvedas. Nos echamos a correr. Íbamos a media escalera cuando nos sobresaltó el grito de Sergio. Guillermo y yo regresamos por él. En la penumbra lo vimos estremecerse y apuntar hacia una celda.

Lo tomamos de los brazos y, ya sin ocultar nuestro pavor, fuimos hacia el sitio que señalaba con sonidos guturales.

En cuanto entramos Sergio logró zafarse de nosotros. Se echó a correr, huyó y nos dejó solos. Guillermo encendió la linterna. Vimos que al derribar una pared el temblor había puesto al descubierto un osario. El haz de luz nos permitió distinguir entre calaveras y esqueletos la túnica amarillenta de una mujer atada a una silla metálica: un cadáver momificado en lo que parecía una actitud de infinita calma y perpetua inmovilidad.

Sentí el horror en todo mi cuerpo. No sé cómo, pude vencerlo por un instante y acercarme a la muerta. Guillermo susurró algo para detenerme. Acerqué el foco hasta el cráneo de rasgos borrados y rocé la frente con la punta de los dedos. Bajo esa mínima presión el cuerpo entero se desmoronó, se volvió polvo sobre el asiento de metal.

Fue como si el mundo entero se pulverizara con la cautiva. Me pareció escuchar un estruendo de siglos. Todo giró ante mis ojos. Sentí que, revelado su secreto, el convento iba a desintegrarse sobre nosotros. Yo también quedé inmovilizado por el terror. Guillermo reaccionó, me arrastró lejos de ese lugar y huimos cuestabajo a riesgo de despeñarnos.

En la falda del cerro nos encontraron nuestros padres y las otras personas que habían salido a buscarnos. Acababan de escuchar la narración estremecida de Sergio. Unos cuantos quisieron subir hasta las ruinas. El padre Santillán nos condujo a la iglesia para hacernos la señal de la cruz con agua bendita. La madre de Guillermo nos dio valeriana y té de tila.

Hora y media después nos alcanzaron en la sacristía quienes habían subido al convento para verificar nuestro relato. El profesor intentó formular otra hipótesis racional que convenciera a todo el pueblo y anonadara a nuestro párroco. El terremoto, afirmó, puso al descubierto una antigua cripta con restos casi deshechos. No había un solo cuerpo momificado. Desde luego la presencia de una silla de metal en el osario resultaba extraña, pero debía de tratarse de un olvido por parte del fraile a quien se encomendó ordenar las osamentas. Ningún cadáver se pulverizó bajo mi tacto: fue una alucinación producida por nuestro miedo cuando la oscuridad nos sorprendió en un lugar abandonado al que rodeaban leyendas sin base histórica. Nuestras visiones, terminó, eran consecuencia lógica de la perturbación que en todos los habitantes causó el temblor.

Fueron inútiles explicaciones, bromas y consuelos. No cerré los ojos en toda la noche. La imagen del cuerpo que se disgregaba al tocarlo no se apartó de mí jamás. Entre todos nuestros interrogadores sólo el padre Santillán no se dejó intimidar y aceptó nuestra versión. Dijo que nos tocó asistir al desenlace de un crimen legendario en los anales del pueblo, una venganza de la que nadie había podido confirmar la verdad.

El cadáver deshecho entre mis dedos era el de una mujer a la que en el siglo XVIII administraron un tóxico paralizante. Al abrir los ojos se halló emparedada en un osario. Murió de angustia, de hambre y de sed, sin poder moverse de la silla en que la encontramos ciento cincuenta años después. Era la esposa de un corregidor. Su doble crimen fue tener relaciones con un monje del convento y arrojar a un pozo al niño que nació de esos amores.

Guillermo preguntó cuál había sido el castigo para el monje.

–Fue enviado a Filipinas –respondió Santillán.

–Padre, ¿no cree usted que fue una injusticia? –me atreví a preguntar.

–Tal vez el religioso merecía una pena severa. Si bien no puedo aprobar el emparedamiento, no olviden ustedes lo que dice Tertuliano: «La mujer es la puerta del demonio. Por ella entró el Mal en el paraíso y lo convirtió en este valle de lágrimas».


Pasó el tiempo. Los niños de 1934 nos hicimos adultos y nos dispersamos. Mi vida en el pueblo se acabó para siempre. Jamás regresé ni volví a ver a Sergio ni a Guillermo. Pero cada temblor me llena de pánico. Siento que la tierra devolverá a sus cadáveres para que mi mano les dé al fin el reposo, la otra muerte.

El castillo en la aguja

A Renato Prada Oropeza

Por la noche, antes de quedarse dormido, escuchaba el galope del viento sobre el campo de espigas. En la mañana desayunaba con su madre. Salía de la cocina a pasear por los jardines de la casa. Le gustaba ver los juegos del sol en el plumaje de los pavos reales y su propia cara reflejada en el fondo del pozo. Subía al muro que los aislaba de la carretera y durante horas contaba los vehículos que iban al puerto o regresaban de él.

A las dos su madre le servía el almuerzo en la mesa con mantel de hule. Después Pablo se dirigía a la huerta y, si don Felipe y Matilde no lo vigilaban, sus diversiones eran violentas: destruir hormigueros, cazar mariposas y arrancarles las alas. Luego, al oscurecer, tomaban café con leche y pan dulce. Y mientras su madre escuchaba en la radio las trasmisiones más populares de 1948, Pablo leía *El Corsario Negro* y *Viaje al centro de la tierra*, libros prestados por Gilberto. En eso consistían sus vacaciones y representaban algo parecido a la felicidad. Cuando terminaran volvería al internado y a las obligaciones, regaños, burlas, golpes.

A fines de 1946 ocupó la presidencia Miguel Alemán y el señor y la señora Aragón se fueron a vivir a la capital. Mantuvieron la casa de campo aunque nada más la visitaban una o dos veces al año. Quedó al cuidado de gente de confianza: don Felipe, su amigo de infancia, cuando nadie hubiera predicho que Aragón se iba a enriquecer en la política y el otro jamás saldría de pobre; Matilde, con la que don Felipe llevaba más de treinta años, y Catalina, la muchacha que desde pequeña había servido a la familia. En un mal momento Catalina resultó embarazada, nunca dijo por quién, y en la Navidad de 1936 nació Pablo. Matrimonio sin hijos, los Aragón se compadecieron de él y le pagaban el internado en el puerto.

Desde el autobús Pablo miraba la vegetación implacable crecida entre las ciénagas. A la distancia apareció el campo de espigas. Pablo se levantó para indicar al chofer el sitio en que se bajaría. Cuando el vehículo se detuvo, el niño dio las gracias y atravesó la carretera. Deslumbrado por el sol, avanzó por el sendero de grava. Su madre salió a abrirle la reja y Pablo entró en su casa, la casa ajena, el castillo en la aguja.

Las ventanas del gran salón daban al mar. Terminadas las clases Pablo se quedaba de pie y observaba las olas que no descansan. En el internado tenía un solo amigo, Gilberto. Nunca entendió por qué estaba en un sitio que no era el suyo. Gilberto aseguraba que sus padres se propusieron templar su carácter, disciplinarlo para que al crecer no fuera un inútil, como tantos hijos de ricos, y preparar su ingreso en la Culver Military Academy de Indiana.

«O nos hacemos como ellos o vamos a ser eternamente sus criados», aseguró el ingeniero Benavides, padre de Gilberto, en una conferencia que dio a los internos. «Si con Miguel Alemán los mexicanos no nos ponemos al día ya no lo vamos a hacer jamás. Ahora o nunca. Es tiempo de acabar con tanta incuria, con tanta corrupción, con tanta ignorancia, con tanta pereza, con tanta irresponsabilidad. Me niego a pensar que este país nació así y ya no tiene remedio.»

A pesar de la amistad Gilberto nunca lo había invitado a su casa. Un domingo lo hizo por fin y entonces Pablo conoció a Yolanda. Gilberto los presentó, su hermana retuvo por un instante la mano de Pablo y lo miró a los ojos. Se despidió, subió las escaleras y se perdió en el fondo del corredor.


Otro domingo fueron a un pueblo a orillas del río. En un restaurante hecho de tablas comieron mojarras y camarones y escucharon música de arpas y guitarras.

Algunas parejas salieron a bailar. La señora Benavides animó a Yolanda a hacerlo también.

—Participa en todos los festivales de la escuela. Es la mejor en bailes regionales y nadie le gana en flamenco y hawaiano. Tiene un gran talento de bailarina pero nosotros queremos verla con un título profesional —dijo como para ser escuchada y envidiada en todo el restaurante.

Yolanda se volvió a ver a Pablo y se negó. El ingeniero le recordó a su esposa que se hallaban en un lugar al que sólo habían ido por la frescura de sus productos recién sacados del agua. Allí había gente de otra clase: indios, negros, obreros, estibadores, sirvientas, empleadas de almacén, personas vulgares. Una niña como Yolanda no iba a servirles de espectáculo. Benavides habló en un tono suave para que su esposa no se diera por amonestada en presencia de un intruso y Pablo, a su vez, entendiese el gran favor que le hacía una familia así al permitir que los acompañara.

El ingeniero pidió la cuenta y dejó una mínima propina. Volvieron al Buick y tomaron el camino de regreso. Pablo, que no había abierto la boca en toda la tarde, habló al oído de Gilberto. El niño se inclinó hacia el asiento delantero:

—Dice Pablo que nos invita a conocer su casa.

—Dale las gracias —contestó Benavides—, pero creo que mejor vamos otro día. Hoy ya es muy tarde y mañana hay que trabajar desde temprano.

Gilberto se empeñó en conocer el sitio del que

tanto le había hablado su amigo. Ansiaba jugar en la huerta y observar a los pavos reales.

–Está bien pero sólo un momento. No conocemos a sus padres y no es de buena educación hacer visitas sin anunciarse –concluyó el ingeniero.

El automóvil siguió por la carretera arbolada. Hacía calor y el aire estaba lleno de sal. En el asiento de atrás Pablo ocupaba el lugar de enmedio, el incómodo. Cuando el Buick tomó una curva tendida sobre la ciénaga Pablo sintió que el cuerpo de Yolanda rozaba su piel. Gilberto leía las aventuras de Mandrake. Su madre estaba absorta en la sección de sociales. De vez en cuando hacía comentarios despectivos que celebraba el ingeniero. Benavides encendió la radio. Como del fondo de los tiempos llegó un danzón. Al lado izquierdo apareció el campo de espigas.

Pablo se aproximó un centímetro más. Contra lo que esperaba, Yolanda no rehusó la cercanía. Sus manos se tocaron por un segundo. En ese instante apareció ante ellos el edificio que imitaba un castillo del Rin enmedio de la vegetación tropical.

–Ésta es mi casa –dijo Pablo como si se dirigiera sólo a Yolanda.

Gilberto interrumpió la lectura de los cómics para corregir a Pablo:

–No, no es así. Se dice: «Aquí tienen ustedes su casa».

En vez de responder Pablo rozó de nuevo la mano de Yolanda. Benavides moderó la marcha y el Buick entró por el sendero de grava. Don Felipe se apresuró a abrir el portón, se quitó el sombrero de palma y saludó inclinando la cabeza.

Pablo se volvió hacia Yolanda:

—¿Te gusta?

Yolanda no tuvo tiempo de contestar: la señora Aragón apareció en el vestíbulo, bajó los escalones y se acercó a la ventanilla:

—Ingeniero, Dorita, qué milagro. No saben cuánto gusto nos da verlos. ¿Por qué nunca antes habían querido venir? Pasen, por favor. Están en su casa.

Pablo trató de ver los ojos de Yolanda. La niña enrojeció, desvió la mirada, simuló interesarse en los pavos reales. Gilberto quedó rígido y fijó la vista en las aventuras de Mandrake. Al descubrir a Pablo la señora Aragón le ordenó:

—Dile por favorcito a tu mamá que nos prepare café y sirva helados para los niños.

Pablo se alejó a la carrera y en vez de ir a la cocina fue hacia la veleta. Cerca del pozo rompió a llorar. Se asomó al fondo oscuro y el agua no reflejó su cara. En ese instante empezó a soplar el viento del norte. Levantó arena de la playa, dejó surcos en las acequias y arrojó flores al pantano. El viento se adueñaba de todo mientras Pablo corría hacia un lugar en el que nadie nunca pudiera humillarlo otra vez ante Yolanda.

Aqueronte

A Paloma Villegas

Son las cinco de la tarde, la lluvia ha cesado, bajo la húmeda luz el domingo parece vacío. La muchacha entra en el café. La observan dos parejas de edad madura, un padre con cuatro niños pequeños. A una velocidad que demuestra su timidez, atraviesa el salón, toma asiento a una mesa en el extremo izquierdo. Por un instante se aprecia nada más la silueta a contraluz del brillo solar en los ventanales. Cuando se acerca el mesero la muchacha pide una limonada, saca un cuaderno y se pone a escribir algo en sus páginas. No lo haría si esperara a alguien que en cualquier momento puede llegar a interrumpirla. La música de fondo está a bajo volumen. De momento no hay conversaciones.

El mesero sirve la limonada, ella da las gracias, echa azúcar en el vaso alargado y la disuelve con una cucharilla de peltre. Prueba el líquido agridulce, vuelve a concentrarse en lo que escribe con un bolígrafo de tinta roja. ¿Un diario, una carta, una tarea escolar, un poema, un cuento? Imposible saberlo, imposible saber por qué está sola en la capital y no tiene adónde ir la tarde de un domingo en mayo de 1966. Es difícil calcular su edad: catorce, dieciocho, veinte años. La hacen muy atractiva la esbelta armonía de su cuerpo, el largo pelo castaño, los ojos un poco rasgados, un aire de inocencia y desamparo, la pesadumbre de quien tiene un secreto.

Un joven de la misma edad o acaso un poco mayor se sienta en un lugar de la terraza, aislada del salón por un ventanal. Llama al mesero y ordena un café. Observa el interior. Su mirada recorre lugares vacíos, grupos silenciosos y se detiene un instante en la muchacha. Al sentirse observada alza la vista. Enseguida baja los ojos y se concentra en su escritura. El salón ya no flota en la penumbra: acaban de encender las luces fluorescentes.

Bajo la falsa claridad ella de nuevo levanta la cabeza y encuentra la mirada del joven. Agita la cucharilla de peltre para disolver el azúcar asentada en el fondo. Él prueba su café y observa a la muchacha. Sonríe al ver que ella lo mira y luego se vuelve hacia la calle. Este mostrarse y ocultarse, este juego que parece divertirlos o exaltarlos se repite con leves variantes por espacio de un cuarto de hora o veinte minutos. Por fin él la mira de frente y sonríe una vez más. Ella aún trata de esconder el miedo o el misterio que impiden el natural acercamiento.

El ventanal la refleja, copia sus actos, la duplica sin relieve ni hondura. Recomienza la lluvia, el aire arroja gotas de agua a la terraza. Cuando siente humedecerse su ropa el joven da muestras de inquietud y ganas de marcharse. Entonces ella desprende una hoja del cuaderno, escribe unas líneas y da una mirada ansiosa al desconocido. Con la cuchara golpea el vaso alargado. Se acerca el mesero, toma la hoja de papel, lee las primeras palabras, retrocede, gesticula, contesta indignado, se retira como quien opone un gesto altivo a la ofensa que acaba de recibir.

Los gritos del mesero llaman la atención de todos los presentes. La muchacha enrojece y no sabe en dónde ocultarse. El joven observa paralizado la escena inimaginable: el desenlace lógico era otro. Antes de que él pueda intervenir, vencer la timidez que lo agobia cuando se encuentra sin el apoyo, el estímulo, la mirada crítica de sus amigos, la muchacha se levanta, deja unos billetes sobre la mesa y sale del café.

Él la ve pasar por la terraza sin mirarlo, se queda inmóvil un instante, luego reacciona y toca en el ventanal para que le traigan la cuenta. El mesero toma lo que dejó la muchacha, va hacia la caja y habla mucho tiempo con la encargada. El joven recibe la nota, paga y sale al mundo en que se oscurece la lluvia. En una esquina donde las calles se bifurcan mira hacia todas partes. No la encuentra. El domingo termina. Cae la noche en la ciudad que para siempre ocultará a la muchacha.

La reina

A Emilio Carballido,
*in memoriam*

Adelina apartó el rizador de pestañas y comenzó a aplicarse el rímel. Una línea de sudor manchó su frente. La enjugó con un clínex y volvió a extender el maquillaje. Eran las diez de la mañana. Todo lo impregnaba el calor. Un organillero tocaba el vals *Sobre las olas.* Lo silenció el estruendo de un carro de sonido en que vibraban voces incomprensibles. Adelina se levantó del tocador, abrió el ropero y escogió un vestido floreado. La crinolina ya no se usaba pero, según la modista, no había mejor recurso para ocultar un cuerpo como el suyo.

Se contempló indulgente en el espejo. Atravesó el patio interior entre las macetas y los bates de beisbol, las manoplas y gorras que Óscar había dejado como para estorbarle su camino. Entró en el cuarto de baño y subió a la balanza. Se descalzó, incrédula. Pisó de nuevo la cubierta de hule. Se desnudó y probó por tercera vez. La balanza marcaba ochenta kilos. Debía de estar descompuesta: era el mismo peso registrado una semana atrás al iniciar la dieta y el ejercicio.

Regresó por el patio que era más bien un pozo de luz con vidrios traslúcidos. Un día, como predijo Óscar, el piso iba a desplomarse si ella no adelgazaba. Se imaginó cayendo en la tienda de ropa. Los turcos, inquilinos de su padre, la detestaban. Cómo iban a reírse Aziyadé y Nadir al encontrarla sepultada bajo metros y metros de popelina.

Al llegar al comedor vio como por vez primera los lánguidos retratos familiares: Adelina a los seis meses, triunfadora en el concurso «El bebé más robusto de Veracruz». A los nueve años, en el teatro Clavijero, declamando «Madre o mamá» de Juan de Dios Peza. Óscar, recién nacido, flotante en un moisés enorme, herencia de su hermana. Óscar, el año pasado, pítcher en la Liga Infantil del Golfo. Sus padres el día de la boda, él aún con uniforme de cadete. Guillermo en la proa del *Durango,* ya con insignias de capitán. Él mismo en el acto de estrechar la mano del señorpresidente en el curso de unas maniobras entre el castillo de San Juan de Ulúa y la Isla de Sacrificios. Hortensia al fondo, con sombrilla, tan ufana de su marido y tan cohibida por hallarse junto a la esposa del gobernador y la diputada Goicochea. Adelina, en la fiesta de quince años, bailando con su padre el vals *Fascinación.* Qué día. Mejor ni acordarse. Quién la mandó invitar a las Osorio. Y el chambelán que no llegó al Casino: antes que hacer el ridículo valsando con Adelina, prefirió arriesgar su carrera y exponerse a la hostilidad de Guillermo, su implacable instructor en la Heroica Escuela Naval.

–Qué triste es todo –se oyó decirse–. Ya estoy hablando sola. Es por no desayunarme. –Fue a la cocina. Se preparó en la licuadora un batido de plátanos y leche condensada. Mientras lo saboreaba hojeó *Huracán de amor*. No había visto ese número de «La Novela Semanal», olvidado por su madre junto a la estufa.

–Hortensia es tan envidiosa... ¿Por qué me seguirá escondiendo sus historietas y sus revistas como si yo fuera todavía una niñita?

«No hay más ley que nuestro deseo», afirmaba un personaje en *Huracán de amor*. Adelina se inquietó ante el torso desnudo del hombre que aparecía en el dibujo. Pero nada comparable a cuando halló en el portafolios de su padre *Corrupción en el internado para señoritas* y *Las tres noches de Lisette*. Si Hortensia –o peor: Guillermo– la hubieran sorprendido...

Regresó al baño. En vez de cepillarse los dientes se enjuagó con Listerine y se frotó los incisivos con la toalla. Cuando iba hacia su cuarto sonó el teléfono.

–Gorda...

–¿Qué quieres, pinche enano maldito?

–Cálmate, gorda, es un recado de *our father*. ¿Por qué amaneciste tan furiosa, Adelina? Debes de haber subido otros cien kilos.

–Qué te importa, idiota, imbécil. Ya dime lo que vas a decirme. Tengo prisa.

–¿Prisa? Sí, claro: vas a desfilar como reina del carnaval en vez de Leticia, ¿no?

–Mira, estúpido, esa *negra* débil mental no es reina ni es nada: su familia compró todos los votos y ella se acostó hasta con el barrendero de la comisión organizadora. Así quién no.

–La verdad, gorda, es que te mueres de envidia. Qué darías por estar ahora arreglándote para el desfile en vez de Leticia.

–¿El desfile? Ja ja, no me importa el desfile. Tú, Leticia y todo el carnaval me valen una pura chingada.

–Qué bonito trompabulario. Dime dónde lo aprendiste. No te lo conocía. Ojalá te oigan mis papás.

–Vete al carajo.

–Ya cálmate, gorda. ¿Qué te pasa? ¿De cuál fumaste? Ni me dejas hablar... Mira, dice mi papá que vamos a comer aquí en Boca del Río con el vicealmirante; que de una vez va ir a buscarte la camioneta porque luego, con el desfile, no va a haber paso.

–No, gracias. Dile que tengo mucho que estudiar. Además ese viejo idiota del vicealmirante me choca. Siempre con sus bromitas y chistecitos imbéciles. Y el pobre de mi papá tiene que celebrarlos.

–Haz lo que te dé la gana, pero no tragues tanto ahora que nadie te lo impide.

–Cierra el hocico y ya no estés jodiendo.

–¿A que no le contestas así a mi mamá? ¿A que no, verdad? Voy a desquitarme, gorda maldita. Te vas a acordar de mí, bola de manteca.

Adelina colgó furiosa el teléfono. Sintió ganas de llorar. El calor la rodeaba por todas partes. Abrió el ropero infantil adornado con calcomanías de Walt

Disney. Sacó un bolígrafo y un cuaderno rayado. Fue a la mesa del comedor y escribió:

*Queridísimo Alberto:*
*Por milésima vez hago en este cuaderno una carta que no te mandaré nunca y siempre te dirá las mismas cosas. Mi hermano acaba de insultarme por teléfono y mis papás no me quisieron llevar a Boca del Río. Bueno, Guillermo seguramente quiso; pero Hortensia lo domina. Ella me odia, por celos, porque ve cómo me adora mi papá y cuánto se preocupa por mí.*

*Aunque si me quisiera tanto como supongo ya me hubiese mandado a España, a Canadá, a Inglaterra, a no sé dónde, lejos de este infierno que mi alma, sin ti, ya no soporta.*

Se detuvo. Tachó «que mi alma, sin ti, ya no soporta».

*Alberto mío, dentro de un rato voy a salir. Te veré de nuevo, por más que tú no me mires, cuando pases en el carro alegórico de Leticia. Te lo digo de verdad: ella no te merece. Te ves tan... tan, no sé cómo decirlo, con tu uniforme de cadete. No ha habido en toda la historia un cadete como tú. Y Leticia no es tan guapa como supones. Sí, de acuerdo, tal vez sea atractiva, no lo niego: por algo llegó a ser reina del carnaval. Pero su tipo resulta, ¿cómo te diré?, muy vulgar, muy corriente. ¿No te parece?*

*Y es tan coqueta. Se cree muchísimo. La conozco desde que estábamos en kínder. Ahora es íntima de las Osorio y antes hablaba muy mal de ellas. Se juntan para burlarse de mí porque soy más inteligente y saco mejores calificaciones. Claro, es natural: no ando en fiestas ni cosas de ésas, los domin-*

*gos no voy a dar vueltas al zócalo, ni salgo todo el tiempo con muchachos. Yo sólo pienso en ti, amor mío, en el instante en que tus ojos se volverán al fin para mirarme.*

*Pero tú, Alberto, ¿me recuerdas? ¿Te has olvidado de que nos conocimos hace dos años –acababas de entrar en la Naval– una vez que acompañé a mi papá a Antón Lizardo? Lo esperé en la camioneta. Tú estabas arreglando un yip y te acercaste. No me acuerdo de ningún otro día tan hermoso como aquel en que nuestras vidas se encontraron para ya no separarse jamás.*

Tachó «para ya no separarse jamás».

*Conversamos muy lindo mucho tiempo. Quise dejarte como recuerdo mi radio de transistores. No aceptaste. Quedamos en vernos el domingo para ir al zócalo y a tomar un helado en el «Yucatán».*

*Te esperé todo el día ansiosamente. Lloré tanto esa noche... Pero luego comprendí: no llegaste para que nadie dijese que te interesaba cortejarme por ser hija de alguien tan importante en la Armada como mi padre.*

*En cambio, te lo digo sinceramente, nunca podré entender por qué la noche de fin de año en el Casino Español bailaste todo el tiempo con Leticia y cuando me acerqué y ella nos presentó dijiste: «Mucho gusto».*

*Alberto: se hace tarde. Salgo a tu encuentro. Sólo unas palabras antes de despedirme. Te prometo que esta vez sí adelgazaré y en el próximo carnaval, como lo oyes, yo voy a ser ¡LA REINA! (Mi cara no es fea, todos lo dicen.) ¿Me llevarás a nadar a Mocambo, donde una vez te encontré con Leticia? (Por fortuna ustedes no me vieron: estaba en traje de baño y corrí a esconderme entre los árboles.)*

*Ah, pero el año próximo, te juro, tendré un cuerpo más hermoso y más esbelto que el suyo. Todos los que nos miren te envidiarán por llevarme del brazo.*

*Chao, amor mío. Ya falta poco para verte. Hoy como siempre es toda tuya*

*Adelina*

Volvió a su cuarto. Al ver la hora en el despertador de Bugs Bunny dejó sobre la cama el cuaderno en que acababa de escribir, retocó el maquillaje ante el espejo, se persignó y bajó a toda prisa las escaleras de mosaico. Antes de abrir la puerta del zaguán respiró el olor a óxido y humedad. Pasó frente a la sedería de los turcos: Aziyadé y Nadir no estaban; sus padres se disponían a cerrar.

En la esquina encontró a dos compañeros de equipo de su hermano. (¿No habían ido con él a Boca del Río?) Al verla maquillada le preguntaron si iba a participar en el concurso de disfraces o si acababa de lanzar su candidatura para Rey Feo.

Los miró con furia y desprecio. Se alejó taconeando bajo el olor a pólvora que los buscapiés, las brujas y las palomas dejaban al estallar. No había tránsito: la gente caminaba por la calle tapizada de serpentinas, latas y cascos de cerveza. Encapuchados, mosqueteros, payasos, legionarios romanos, ballerinas, circasianas, amazonas, damas de la corte, piratas, napoleones, astronautas, guerreros aztecas y grupos y familias con máscaras, gorritos de cartón, sombreros zapatistas o sin disfraz avanzaban hacia la calle principal.

Adelina apretó el paso. Cuatro muchachas se volvieron, la observaron y la dejaron atrás. Escuchó su risa unánime y pensó que se estarían burlando de ella como los amigos de Óscar. Luego caminó entre las mesas y los puestos de los portales, atestados de marimbas, conjuntos jarochos, vendedores de jaibas rellenas, billeteros de lotería.

No descubrió a ningún conocido pero advirtió que varias mujeres la escrutaban con sorna. Pensó en sacar de su bolsa el espejito para ver si, inexperta, se había maquillado en exceso. Por vez primera empleaba los cosméticos de su madre. Pero ¿dónde se ocultaría para mirarse?

Con grandes dificultades llegó a la esquina elegida. El calor, la promiscua cercanía de tantos extraños y el estruendo informe le provocaban un malestar confuso. Entre aplausos apareció la descubierta de charros y chinas poblanas. Bajo música y gritos desfiló la comparsa inicial: los jotos vestidos de pavos reales. Siguieron mulatos disfrazados de vikingos, guerreros aztecas cubiertos de serpentinas, estibadores con bikinis y penachos de rumbera.

Pasaron cavernarios, kukluxklanes, Luis XV y la nobleza de Francia con sus blancas pelucas entalcadas y sus falsos lunares, Blanca Nieves y los Siete Enanos (Adelina sentía que la empujaban y manoseaban), Barbazul en plena tortura y asesinato de sus mujeres, Maximiliano y Carlota en Chapultepec, pieles rojas, caníbales teñidos de betún y adornados con huesos humanos (la transpiración humedecía su espalda); Romeo y Julieta en el balcón de Verona, Hitler y sus mariscales, llenos de suásticas y monóculos; gigantes y cabezudos, James Dean al frente de sus rebeldes sin causa, Pierrot, Arlequín y Colombina, doce Elvis Presleys que trataban de cantar en inglés y moverse como él. (Adelina cerró los ojos ante el brillo del sol y el caos de épocas, personajes, historias.)

Empezaron los carros alegóricos, unos tirados por tractores, otros improvisados sobre camiones de redilas: el de la Cervecería Moctezuma, Miss México, Miss California, notablemente aterrada por lo que veía como un desfile salvaje; las Orquídeas del Cine Nacional, el Campamento Gitano –niñas que lloriqueaban por el calor, el miedo de caerse y la forzada inmovilidad–, el Idilio de los Volcanes según el calendario de Helguera, la Malinche y Hernán Cortés, las Mil y una Noches, pesadilla de cartón, lentejuelas y trapos.

La sobresaltaron un aliento húmedo de tequila y una caricia envolvente:

–Véngase, mamasota, que aquí está su rey.

Adelina, enfurecida, volvió la cabeza. Pero ¿hacia quién, cómo descubrir al culpable entre la multitud burlona o entusiasmada?

Los carros alegóricos seguían desfilando: los Piratas en la Isla del Tesoro, Sangre Jarocha, Guadalupe la Chinaca, Raza de Bronce, Cielito Lindo, la Adelita, la Valentina y Pancho Villa, los Buzos en el país de las Sirenas, los Astronautas con el *Sputnik* y los Extraterrestres.

Desde un inesperado balcón las Osorio, muertas de risa, se hicieron escuchar bajo el estruendo del carnaval:

–Gorda, gorda: sube. ¿Qué andas haciendo allí abajo, revuelta con la plebe y los chilangos? ¿Ya no te acuerdas de que la gente decente de Veracruz no se mezcla con los fuereños, y mucho menos en carnaval?

Todo el mundo pareció descubrirla, escudriñarla, repudiarla. Adelina tragó saliva, apretó los labios: Primero muerta que dirigirles la palabra a las Osorio, ir a su encuentro, dejarse ver con ellas en el balcón. Por fin, el carro de la reina y sus princesas. Leticia Primera en su trono bajo las espadas cruzadas de los cadetes. Alberto junto a ella, muy próximo. Leticia, toda rubores, toda sonrisitas, entre los bucles artificiales que sostenían la corona de hojalata, saludaba a izquierda y derecha, sonreía, enviaba besos al aire.

–Cómo puede cambiar la gente cuando está bien maquillada –se dijo Adelina. El sol arrancaba destellos a la bisutería del cetro, la corona, el vestido. Atronaban aplausos. Leticia Primera recibía feliz la gloria que iba a durar unas cuantas horas, en un trono destinado a amanecer entre la basura. Sin embargo, Leticia era la reina y estaba cinco metros por encima de Adelina que –la cara sombría, el odio en la mirada– la observaba sin aplaudir ni agitar la mano.

–Ojalá se caiga, ojalá quede en ridículo, ojalá de tan apretado le estalle el disfraz y vean el relleno de hulespuma en sus tetas –murmuró Adelina, entre dientes pero sin temor de ser escuchada–. Ya verá, ya verá el año que entra: los lugares van a cambiarse. Leticia estará aquí abajo muerta de envidia y yo...

Una bolsa de papel arrojada desde quién sabe dónde interrumpió el monólogo: se estrelló en su cabeza y la bañó de anilina roja en el preciso instante en que pasaba frente a ella la reina. La misma Leticia no pudo menos que descubrirla entre la multitud y reírse. Alberto quebrantó su pose de estatua y soltó una risilla.

Fue un instante. El carro se alejaba. Adelina se limpió la cara con las mangas del vestido. Alzó los ojos hacia el balcón en que las Osorio manifestaban su pesar ante el incidente y la invitaban a subir. Entonces la bañó una nube de confeti que se adhirió a la piel humedecida. Se abrió paso, intentó correr, huir, volverse invisible.

Pero el desfile había terminado. Las calles estaban repletas de chilangos, de fotos, de mariguanos, de hostiles enmascarados y encapuchados que seguían arrojando confeti a la boca de Adelina entreabierta por el jadeo, bailoteaban para cerrarle el paso, aplastaban las manos en sus senos, desplegaban espantasuegras en su cara, la picaban con varitas labradas de Apizaco.

Y Alberto se alejaba cada vez más. No descendía del carro para defenderla, para vengarla, para abrirle camino con su espada. Y Guillermo, en Boca del Río, ya aturdido por la octava cerveza, festejaba por anticipado los viejos chistes eróticos del vicealmirante. Y bajo unas máscaras de Drácula y de Frankenstein surgían Aziyadé y Nadir, la acosaban en su huida, le cantaban, humillante y angustiosamente cantaban, un estribillo interminable: «A Adelina / le echaron anilina / por no tomar Delgadina. / Poor noo toomaar Deelgaadiinaa». Y los abofeteó y pateó y los niños intentaron pegarle y un Satanás y una Doña Inés los separaron. Aziyadé y Nadir se fueron canturreando el estribillo. Adelina pudo continuar la fuga hasta que al fin abrió la puerta de su casa, subió las escaleras y halló su cuarto en desorden: Óscar estuvo allí con sus amigos de la novena de beisbol, Óscar no se quedó en Boca del Río, Óscar volvió con su pandilla, Óscar también anduvo en el desfile.

Vio el cuaderno en el suelo, abierto y profanado por los dedos de Óscar, las manos de los otros. En las páginas de su última carta estaban las huellas digitales, la tinta corrida, las grandes manchas de anilina roja. Cómo se habrán burlado, cómo se estarán riendo ahora mismo, arrojando bolsas de anilina a las caras, puñados de confeti a las bocas, rompiendo huevos podridos en las cabezas, valiéndose de la impunidad conferida por sus máscaras y disfraces.

–Maldito, puto, enano cabrón, hijo de la chingada. Ojalá te peguen. Ojalá te den en toda la madre y regreses chillando como un perro. Ojalá te mueras. Ojalá se mueran tú y la puta de Leticia y las pendejas de las Osorio y el cretino cadetito de mierda y el pinche carnaval y el mundo entero.

Y mientras hablaba, gritaba, gesticulaba con doliente furia, rompía su cuaderno de cartas, pateaba los pedazos, arrojaba contra la pared el frasco de maquillaje, el pomo de rímel, la botella de Colonia San-borns.

Se detuvo. En el espejo enmarcado por las figuras de Walt Disney miró su pelo rubio, sus ojos verdes, su cara lívida cubierta de anilina, grasa, confeti, sudor, maquillaje y lágrimas. Y se arrojó a la cama lloran-do, demoliéndose, diciéndose:

–Ya verán, ya verán el año que entra.

La luna decapitada

A Raymond L. Williams

Florencio Ortega se dispuso al combate. Repartió en tres columnas a sus hombres que avanzaron despacio y en tinieblas por los bordes de la cañada. Aureliano Blanquet y los restos de su tropa quedaron encerrados en un movimiento de pinzas. La medialuna ardía en el cielo color de sangre.

En 1914 Victoriano Huerta y Aureliano Blanquet, secretario de Guerra, fueron derrotados por los ejércitos de la Revolución. Desde el exilio algunos sobrevivientes del porfiriato intentaron la reconquista. Félix Díaz, sobrino del dictador, organizó en 1918 una fuerza a la que se unieron los seguidores de Blanquet. El presidente Venustiano Carranza ordenó al general Florencio Ortega liquidar a los contrarrevolucionarios.

Un ordenanza le leyó el telegrama en el cuartel de Veracruz. Florencio sintió que acabar con Blanquet significaba destruir para siempre a quienes lo enviaron a consumirse en San Juan de Ulúa, cuando en 1906 el ejército porfiriano y los *rangers* sofocaron en Cananea la huelga de la Green Consolidated Copper. Ortega tenía otra cuenta más personal con Blanquet: en 1913 asesinó al presidente Madero y al vicepresidente Pino Suárez mientras Florencio deliraba en un hospital, único sobreviviente de una carga de caballería contra la Ciudadela.

Dos soldaderas lo arrastraron entre hombres y caballos muertos o agonizantes. Cuando al fin le extrajeron las balas que tenía en todo el cuerpo, no le perdonó a Huerta el haber ordenado aquella carga: el comandante en jefe que nombró Madero acababa de pactar en secreto con el embajador norteamericano Henry Lane Wilson y con los generales sublevados Félix Díaz y Manuel Mondragón. Su propósito era destruir las fuerzas leales que el gobierno había puesto a sus órdenes.

Entre los cómplices de Huerta figuraba Blanquet. Cuarenta y seis años atrás, como soldado adolescente, Blanquet había formado parte del pelotón que fusiló al archiduque Maximiliano de Habsburgo. De él se contaba que después, en la campaña de Quintana Roo, desollaba a los rebeldes mayas y los abandonaba en la tierra quemada por el sol. Ya que Huerta había sucumbido prisionero de los norteamericanos, la venganza de Florencio iba a cumplirse en Blanquet.


Una hoguera entre la maleza delataba la presencia del enemigo. Florencio dio la orden de fuego. Al verse rodeados los felicistas se rindieron sin combatir. Sólo Blanquet intentó descolgarse por la barranca. El suelo cedió bajo sus pies y el general fue a hundirse en el lodo cincuenta metros más abajo.

El tren militar llegó a la estación de Veracruz cuando en el otro andén los pasajeros subían al Ferrocarril Interoceánico bajo el temor de que el convoy fuera dinamitado en algún puente. Florencio avanzó con un bulto de yute bajo el brazo. En la sala de espera se cuadró ante el joven general Francisco L. Urquizo, subsecretario de Guerra.

—Voy a rendirle el parte, mi general, pero le adelanto que acabamos con los felicistas en Chavaxtla. Fusilé a algunos y traigo prisioneros a muchos. Por el rumbo de Huatulco no queda uno solo. Todo salió bien. Entre los nuestros no hubo una sola baja.

—Lo felicito. ¿Capturó usted a Blanquet?

La escolta alineó a los vencidos. Urquizo se atusó impaciente los bigotes. Sonaron tres campanadas y se echó a andar el Interoceánico.

—Mi general, los derrotados no sabían nada de Blanquet. Dijeron que corrió en cuanto empezaron los disparos. Lo buscamos por todas partes y fue inútil. Por la mañana se me informó que había un cadáver en el fondo de la barranca, tan profunda y angosta que sólo podía bajar un hombre. Pedí unas sogas y ya en el lodo caminé chapoteando, agarrado a las lianas de la orilla. Enseguida reconocí el cuerpo: no había nadie tan viejo ni tan gordo como Blanquet. Tuve que taparme las narices porque ya se estaba pudriendo. Como era imposible subirlo todo entero, alcé al muerto de los pelos y de un machetazo lo decapité.

Florencio abrió el bulto de yute y la cabeza de Blanquet apareció entre paños ensangrentados. El aspecto y el hedor horrorizaron a Urquizo. El subsecretario no pudo sino retroceder unos pasos. Florencio pensó que el cuerpo de Blanquet seguiría corrompiéndose en la barranca. Entregó el despojo a su ordenanza. Urquizo dio instrucciones para que lo llevaran a un embalsamador. En vez de elogiarlo, como esperaba Florencio, le recriminó:

–¿Para qué todo esto? No había necesidad de llegar a los extremos.

–¿Y luego, mi general? ¿Cómo iba usted a estar seguro de que había muerto Blanquet?

–Bastaba su palabra.

–Pero, mi general, con todo respeto, mejor es una prueba. Así no queda duda. Cumplí con lo que me ordenaron usted y don Venustiano.


Al día siguiente, mientras desayunaba en el Café de La Parroquia, Florencio pidió a su ordenanza que le leyera los periódicos. Les costó trabajo hallar en páginas interiores la noticia de su hazaña: las primeras planas se dedicaban a celebrar la muerte de Emiliano Zapata, asesinado por órdenes de Carranza en la hacienda de Chinameca.

Así como en Cuautla se exhibió el cadáver de Zapata, en Veracruz quedó expuesta la cabeza de Blanquet. Don Venustiano ansiaba disipar cualquier duda acerca de su doble triunfo. En ausencia de Urquizo, Florencio dejó que humeara un puro en la boca ya inmóvil y se fotografió junto a la prueba de su victoria. Más tarde se enteró de que él y Jesús M. Guajardo, el que emboscó a Zapata, tendrían ascensos y recompensas.


–¿Entiende usted? –dijo Urquizo mientras paseaban por el muelle–: Fue un salvajismo indigno de un militar constitucionalista. Lejos de estar deshechos, los felicistas nunca habían atacado en esta forma. Mire este parte: «a un oficial de los nuestros le cortaron la cabeza en San Andrés Tuxtla». El cuerpo llegará dentro de unas horas. ¿Quiere verlo?

–No me interesa, mi general. Lo único que me importa es pegarles de nuevo. Si tanto les impresionó lo que hice han de tenerme mucho miedo.

–Florencio, lo siento y me da un poco de vergüenza, pero no puedo resistir la curiosidad: dígame qué se propuso al mutilar a Blanquet.

–Verá usted, mi general: para celebrar el triunfo me tomé, con su perdón, unas copas de habanero. Cuando bajé a la barranca andaba un poco bebido y me acordé de algo que me enseñaron en mi pueblo: hay noches en que la luna no tiene cabeza: su hermano se la corta porque la luna quiere dar muerte a su madre.

–Coyolxauhqui, la luna decapitada... Sí, en la Preparatoria me hablaron de eso. O más bien lo leí después en un libro de leyendas mexicanas. ¿Lo conoce usted?

–No, mi general, todavía no aprendo a leer. Cuando iba a entrar en la escuela vino la huelga de Cananea y me encerraron ahí enfrente, en el castillo de San Juan de Ulúa. Después no he tenido tiempo, no he dejado de combatir desde 1910.

Urquizo y Florencio seguirán conversando junto al mar. La brisa nocturna alejará el calor del día. El ordenanza llegará con otro telegrama del presidente. Volverán al cuartel a preparar la nueva ofensiva. Muerto Zapata, sólo quedaban los felicistas en Veracruz y en el norte Pancho Villa con los restos de lo que había sido la División del Norte.

–Villa –comentó Urquizo– no representa ya ninguna amenaza. Nunca volverá a salir de sus montañas y sus desiertos, aunque en ellos también es invencible. Como usted sabe, el mismo ejército norteamericano fue incapaz de encontrarlo.

–Sí, mi general, pero ¿qué va a pasar ahora que ha terminado la Gran Guerra?

–Los Estados Unidos presionarán a don Venustiano para que acabe con Villa como liquidó a Zapata. Florencio, en la Revolución como en toda guerra se mata o se muere, no hay otro remedio. No me gusta pero así es. Yo preferiría que hubiera paz. Lo que de verdad me interesa es hacer libros.

El general Urquizo salió de la estación y enfocó sus binoculares. El polvo de la llanura se levantaba en remolinos. La columna expedicionaria volvía al parecer sin demasiadas bajas. Florencio se adelantó a sus hombres y, sin desmontar, se cuadró ante el subsecretario.

–Les dimos otra vez, mi general. Ahora sí están perdidos. No pasa mucho tiempo sin que se rinda el mismo Félix Díaz. Mire, le traigo un regalito.

De un saco de lona Florencio extrajo una cabeza sangrante. Sus rasgos se habían congelado en una mueca de horror.

–Bájese del caballo para hablarme. –Urquizo retrocedió como en el andén de Veracruz. Indignado, se golpeó las botas con el fuete–. Ya es tiempo de desasnarse, Florencio. Si vuelve a actuar en contra de mis órdenes lo someteré a consejo de guerra.

–¿Estuvo mal? Perdone usted, creí que le iba a hacer gracia después de lo que conversamos el otro día sobre la luna decapitada. Bueno, le aseguro, mi general, que no se repetirá.

Florencio arrojó la cabeza entre las vías del tren. Volvió a montar y se alejó. En el andén los soldados disponían a los heridos para que los atendiera un médico de campaña. Urquizo entró en la oficina destartalada. Ante el escritorio del telegrafista sacó punta a su lápiz y empezó a escribir en un cuaderno con tapas de hule.

–Qué curioso. De modo que hace veinticinco años usted también anduvo en la lucha contra los felicistas. Debemos de habernos visto entonces ¿no le parece?

–Es posible pero entonces éramos jóvenes. En cambio ahora...

–Para mí, como si fuera ayer. No en balde se pasa tanto tiempo en el destierro.

–¿Por qué le tocó el exilio?

–En 1920, cuando vi que Obregón se iba a levantar contra Carranza, no estuve dispuesto a matar a mis compañeros de armas. Lo pagué muy caro: tuve que huir a los Estados Unidos y trabajar doce horas diarias en una fábrica de salchichas. No se imagina qué asquerosidad. Me volví vegetariano. Con eso le digo todo. Acabo de regresar, aprovechando la amnistía. Estuve en la Revolución desde el principio quiero que reconozcan mi antigüedad y me quiten el cargo de desertor por eso trato de ponerme al día. En tanto tiempo, ¿lo creerá usted?, no hubo nadie que me escribiera cartas ni me mandara periódicos. Como se imaginará, me gustaría preguntarle qué se hizo de Florencio Ortega.

–Ah, mi general Florencio Ortega. ¿Será posible que usted no sepa la historia?

–Ya le digo, estuve lejos y apartado de todo.

–Bueno, pues le cuento. En 1920 Florencio, como tantos otros, cambió de chaqueta. Se unió al levantamiento de Obregón y Calles y atacó el tren en que Carranza intentaba llegar de México a Veracruz.

–Entonces fue responsable del asesinato de don Venustiano en Tlaxcalantongo.

–No directamente pero su traición ayudó a que mataran al Primer Jefe. Tanto es así que apenas llegado a la presidencia Obregón le pagó el favor: lo nombró jefe de la guarnición de la capital y sobre todo le dejó manos libres para los negocios.

–¿Se hizo rico?

–Millonario. Me acuerdo de su casa en el Paseo de la Reforma. Acaban de echarla abajo para hacer una agencia Ford. Dicen que fue de un hijo natural de don Porfirio. Yo nomás la veía de lejos. No entraba por miedo de ensuciar las alfombras. A veces me ponían de guardia y desde la puerta escuchaba el desmadre que hacía Florencio con las tiples del Teatro Lírico y las coristas del Principal. Quién sabe cuánto se gastaba nada más en champaña que, por cierto, nunca le gustó.

–Jamás lo hubiera imaginado. ¿Florencio en un palacio de la Reforma? ¿Él, que odiaba a los ricos y los culpaba de todos los males de México?

–La gente cambia. A Florencio se le subieron a la cabeza sus triunfos militares y se volvió ambiciosísimo. Pretendió que Obregón lo nombrara secretario de Guerra para trepar de allí a la presidencia. Alegaba que él era el pueblo y había estado en la Revolución años antes de que sonara el nombre de Madero.

–Eso es muy cierto y ni quien se lo quite.

–Sí, pero Obregón se rió de él. Desde un principio había decidido que lo sucediera en la presidencia el general Calles y no era hombre que tratara de quedar bien con todos. El Manco le hizo ver a Florencio que era muy bruto y muy inculto: el único general que con la paz no había aprendido ni el abecedario.

—¿Y cómo respondió él?

—Salió bufando de Palacio Nacional. A la siguiente recepción en Chapultepec no lo invitaron. Un lunes le avisaron que estaba en disponibilidad. Hecho una fiera fue a ver al Presidente. En el Castillo le dijeron que acababa de salir; en Palacio le cerraron las puertas. Florencio se tragó la humillación, esperó de pie en el Zócalo y cuando salió el Manco, se abalanzó sobre el coche presidencial como si fuera a pedir limosna. Obregón no lo invitó a subir y delante de la guardia, compuesta por sus propios soldados, no le habló de tú ni le dijo «Florencio», como siempre, sino «usted, Ortega».

—¿Lo destituyó?

—Destituirlo y no nada más ponerlo en disponibilidad hubiera sido un buen castigo por sus abusos, escándalos y raterías. Sin embargo, a Obregón no le convenía echarse otro enemigo como él, pues Florencio no iba a tardar en irse al monte. Ya casi todos sus viejos amigos y subordinados estaban en contra del Presidente. Quedaban pocos buenos generales en quienes confiar. Porque eso sí, usted debe acordarse, Florencio no era un oficialito de escritorio: a matón y aventado sólo Pancho Villa le ganaba. Él también se pintaba solo para las cargas de caballería.

—Eso ni hablar, nadie se lo discute.

–Y entonces, aunque usted no lo crea, a Obregón, que era una bala para todo, se le fueron las patas y en vez de hacer lo que don Porfirio: mandarlo a Europa a estudiar los posibles efectos del clima de los Alpes sobre la infantería mexicana, o alguna comisión así de absurda, lo nombró jefe de las operaciones militares en Veracruz.

–¡Hágame el favor! Ya me imagino lo que pasó.

–A los pocos meses se levantó en armas para apoyar a Adolfo de la Huerta en la sucesión presidencial de 1924.

–Pero lo derrotaron.

–Claro, se le olvidó con quién se estaba metiendo. Obregón era un águila, el único general mexicano que jamás perdió una batalla.

–Y mire lo que son las cosas: a manos de qué clase de gente vino a morir, válgame Dios.

–Sí, pero lo que pasó en 1923 es que Florencio ya no sabía pelear. En tan pocos años la capital se lo comió. Estaba gordo y como atontado. El caballo lo incomodaba después de andar en puro Citroën. Ya no soportaba ver sangre ni cuerpos destripados por la metralla.

–¿Ni siquiera tuvo oportunidad de hacer una buena despedida de las armas?

–Obregón no tardó en hacerlo pedazos. Florencio, insisto, ya no era el mismo de su buena época. Además no tenía atrás, como en 1919, todo el gobierno para hacerlo fuerte. Sus tropas, vencidas en escaramuzas y emboscadas, no tuvieron oportunidad de presentar combate en campo abierto, allí donde Florencio era invencible con sus cargas de caballería. Acabaron por odiarlo y pasarse al otro bando en cuanto pudieron.

Fue una lucha inútil, una rebelión sin cabeza. Adolfo de la Huerta es una persona buena y honrada, no un militar y mucho menos un caudillo. Sufrió mucho al ver que por su culpa morían uno tras otro los mejores hombres de la Revolución: Salvador Alvarado, Rafael Buelna, Manuel M. Diéguez... Entretanto Obregón tomaba personalmente el mando del ejército y volvía a la guerra con la misma destreza con la que venció a Villa ocho años atrás.

—¿Y en qué acabó Florencio?

—No se ha sabido nada en firme. Dicen que ahora en 1944 lo han visto vendiendo agujetas en los portales de Puebla. Otros cuentan que se aparece en sesiones espiritistas. Por mi parte, creo que ya murió.

—Es lo más probable. Si no estaría bien parado. Ya ve usted que en este régimen de Ávila Camacho todos engancharon, a nadie se le guardó rencor por nada.

—Todos menos nosotros, los auténticos veteranos de la Revolución.

—Ya se nos hará en el próximo gobierno, si, como todo el mundo cree, don Maximino se queda en el lugar de su hermano. Bueno, le agradezco mucho sus datos. Espero que nos veamos otra vez.

Montado en un caballo agonizante Florencio Ortega se acerca a las ruinas calcinadas de una hacienda. Entre las piedras hay hiedras muertas y magueyes secos. Desmonta. Entra en lo que fue la casa grande, ahuyenta las ratas, tiende su capote, se arroja al suelo y en un instante queda dormido.

Cuando despierta ya es de noche. Se oyen el viento lúgubre y el grito de los búhos. Hace frío. Florencio se levanta, tiembla y sale al páramo en que antes crecieron los magueyales. Tropieza, cae, intenta levantarse, repta hasta un charco al que la luna muerta arranca destellos de pedernal. Se mira en el agua y ve sobre su cara los ojos en blanco, el cabello sucio, la boca abierta, los dientes rotos, la cabeza amarillenta de Aureliano Blanquet. Grita, intenta arrancarla de su cuerpo. La cabeza sigue inmóvil y los alaridos de Florencio no logran que se muevan los labios.

Entonces Florencio escucha el rumor de las caballerías sobre la tierra que se nutre de sangre. Siente que lo persiguen esqueletos armados. Se pone de pie, comprende: está en las nueve llanuras del Mictlán entre el viento cargado de navajas que hieren a los muertos. Y sabe que en esa oscuridad en donde no hay tiempo, bajo la luna decapitada por Huitzilopochtli, ha de buscar la barranca en que sus restos siguen pudriéndose en el lodo y descender al sitio del infierno en que los fantasmas de los soldados muertos tendrán que derrotarlo, hundirlo en el abismo y arrancar su cabeza.

# Virgen de los veranos

A Marcelo Uribe

—Yo, señor —dijo Anselmo—, soy de la Candelaria de los Patos, en la mera capital. No por verme aquí crea usté que trata con un pobre indio bajado del cerro a tamborazos. Nací en la gran Ciudad de México, y a mucha honra. Si usté me encuentra en este lugar, es gracias a la Santísima Virgen, verdá de Dios.

El sol quemaba la tierra seca y los maizales a punto de quebrarse, pero los que rezaban cerca de la choza parecían no sentir el calor. Anselmo prendió el cigarro de hoja, recargó la silla contra el muro de adobes, me clavó la mirada y empezó su narración.

—Dizque fue Aurorita la que primero vio a la Virgen. Una mañana, al cruzar la huerta, halló la aparición en el tronco de un árbol del paraíso. Quesque corrió a decirle a su esposo: «Se me acaba de aparecer la Santa Madre del Cielo». Lorenzo llamó a los ejidatarios pa que fueran testigos del milagro. No sé bien cómo estuvo. El caso es que cuando llegué la gente de los alrededores tenía meses de venerar a la Virgencita.

—Y usted ¿cómo se enteró?

–La historia es un poco larga. Ya que insiste, se la cuento, mi amigo. Al fin y al cabo usté no puede andar de hocicón chivateándome con la autoridá porque también ha de tener sus pendientes, si no qué carajos andaría haciendo por aquí.

Bueno, pus sepa usté: caí por esos rumbos porque en San Mateo Totoloapan maté a un fulano. Todo por un pinche pleito de cantina. Estábamos tranquilos, jugando una manita de dominó y echándonos nuestros tequilazos. De chiripa yo las tenía todas conmigo y empecé gane y gane. El tipo no daba una ni de faul. Entonces, de puro coraje, inflaba y inflaba: entre juego y juego él solito se enjaretó casi un litro de agua de las verdes matas, / tú me tumbas, / tú me matas, / tú me haces andar a gatas. Y eso que era el jefe de la policía y estaba en su pueblo y entre sus cuates.

Sobre las dos, tres de la mañana ya le había ganado al muy ojete como unos ochocientos varos. Me dije pa minterior: «Achismiachis, ya está incróspido: no tarda en alebrestrárseme». Luego luego me levanté pa despedirme cuando ¡újule! que me jala y que se para y me vuelve a sentar de un chingadazo. ¡Poninas, dijo Popochas! ¡Vamos a ver de a cómo nos toca!

Lo dejé seco de un gancho al hígado. Y el méndigo que rueda por los suelos, se medioalza, saca la pistola y dispara con mano tembeleque. Tuvo tan buena puntería el pendejo que le dio en la cabeza a un pobre mesero. Así no se vale, compadre. Yo no traía nada pa defenderme. Pero como no andaba cuete, aunque también le había metido duro al néctar de los dioses, en vez de agorzomarme agarré el chafarote con que habíamos estado partiendo los limones pal tequila, le di por doquier, y lo demás pos ya se lo imagina: el güey ese cayó redondito a dar un chapuzón en su propia salsa. No ha nacido el hijo de la chingada que me ponga la mano encima, verdá de Dios.

Los babosos que pisteaban con él se quedaron de a seis, nomás viendo la desangradera por todas partes. No hicieron ni fintas de apañarme, y ni modo de llamar a la chota porque el dijunto era lo único que había en ese pueblito móndrigo. Entonces me dije pa mis adentros: «Ándale, Anselmo, cuélate: te echaste al plato otro cristiano. No te vayan a entambar una vez más». Y a toda mecha me pelé en segundos. Debo confesarle que el despanzurramiento del genízaro no fue tan limpio como mi mayor gloria: en Puente de Vigas le saqué el mondongo de un solo tajo a Pollo Crudo, pistolero famoso. Todo porque el cabrón insultó a mi santa madrecita, que Dios Nuestro Señor tenga en su gloria. Y eso no se lo perdono ni al rey de Roma que por la puerta se asoma.

Al día siguiente, trepado en un arbolote, vi pasar a unos juanes de a caballo. Segurolas que andaban tras mis güesos. No por ganas de hacer justicia, total: uno menos qué le hace, qué más da que otro fierrazo quede implume; sólo porque el difunto era medioimportantón y a lo mejor hasta pusieron recompensa. De todos modos se mizo raro que en vez de tecolotes mandaran guachos a perseguirme.

Me valió conocer tantos atajos y veredas porque en mis buenos tiempos fui merolico y vendí chucherías por esos lugares tan dejados de la mano de Dios. Lo más durazno fue andar a pata por unas tierras tan desiérticas. Era la canícula y en esta época ni aquí ni allá cae una gota. Pa seguir adelante tuve que tragarme el agua puerca de los arroyos mediosecos. De puro milagro no agarré paludismo, disentería, cólera, dengue, vómito prieto, alguna de esas jodidas enfermedades. Por lo visto he comido y bebido tanta mierda que ya ando impunizado, sí señor.

–¿Y qué pasó por fin: lo aprehendieron?

–¡Nhombre, qué va! Ultimamente hasta los pinches sardos me la pelaron ¿no? En México siempre hay un chorro de crímenes y pronto nadie se acuerda. Una semana después ya andaba fregadísimo, sin cacles, con la ropa hecha cisco, lleno de lastimadas y magullones, todo barbón y oliendo a cacomixcle.

Cuando estaba a punto de alzar los tenis, figúrese usté, una tarde vi al fondo de un llano la milpa, la veleta, el caserío y los árboles de la huerta. Me acerqué con precauciones, quién quita y por ai todavía me anduvieran cazando sardos y cuicos. Un viejito salió de su jacal, me invitó a pasar y me preguntó por qué andaba tan zarrapastroso.

Le conté puras habas: quesque me desmadraron pa robarme la maleta con relojitos, plumitas, lapicitos, polveritas, coloretes, pintalabios, hojitas de rasurar, jarabes pa la tos, ungüentos pa piquetes de moscos y chingaderas de esas. Y luego, por ser fuereño, no supe hallar el rumbo.

El ruco se tragó todas mis largas. Me dio agua fresca del pozo, tortillas, frijoles y chile pa hacerme unos tacos. Eran sobrinas de su tentempié pero el favor se agradece de todos modos ¿no? Andaba ansioso el viejales por hablarme del Grandísimo Milagro, de la Santísima Virgen que se había aparecido en el árbol del paraíso porque ya el fin del mundo estaba cerca, nuestras guerras, crímenes y pecados carnales iban a adelantar el Juicio Final. Y entonces Dios quería probarnos, ver nuestra fe en su Santa Madre.

Iba a contestarle al vejarano, don Jesús se llamaba, que no fuera babotas, que el padre García Guerra –un curita gachupín, coloradito él, de esos que hablan rechistoso pero que se las saben todas– me enseñó, cuando fui sacristán en Cuernavaca, que no creyera en las mentadas apariciones: son puritita superstición que Dios castiga, brujerías o figuraciones de los inorantes. O mejor dicho, son puro cuento de vivales pa joder todavía más a los que ya de plano están jodidos... Pero tantié que no debía perder una oportunidá de esconderme y mice el que creyía y, como quien no quiere la cosa, seguí el hilo.

Parece que estoy oyendo al huehuenche. Sólo le ponía atención por el gusto de ver a alguien después de andar tanto tiempo solo y mi alma con mi cabrona conciencia. Don Jesús se entusiamó reteharto. Quería hacerme sentir el muy güey que yo tenía el honor de estar con el mismísimo Juan Diego.

Pero, eso sí, se acomidió el viejales: puso agua a la lumbre pa mi manita de gato, me emprestó jabón de lavadero y una yillé del año del caldo. Quedé limpio y sin barbotas. Luego el chopas me dio ropa de la suya. Así, todo sombrerudo y de calzón blanco, don Jesús me llevó a ofrecer mis respetos a la Santísima Virgen y a presentarme con los que habían sido sus patrones antes de la cabrona Reforma Agraria.


Al ver la cantidá de indios que rezaban me dije pa mí solórzano: «Ora sí ya chingastes, pinche Anselmo. Esto se puede poner muy bueno». Me acerqué al altarcito. Había un montonal de flores y veladoras y un letrerote: SE PROIBE TOCAR A LA VIRJEN. Pa que no le diera el sol pegaron a las ramas unos como techitos de palma. Entonces me puse trucha y, con cara de borrego degollado, minqué a rezar en voz alta pa que vieran cuántas benditas oraciones me sabía en español y en latín. En latín, figúrese usté, la lengua de la Santa Madre Iglesia, sí señor.

–Disculpe: ¿cómo era la Virgen?

–Ah pus un poco tosca, perdonando la expresión. Lorenzo la talló a navajazos en el tronco del árbol del paraíso y luego la pintó de colores muy furris, a toda velocidá y en la oscuridá de la noche, pa que nadie lo madrugara y antes de empezar los títeres se le cayera todo el teatrito.

Se daba un aigre a la Virgen del Carmen, onque la túnica y la corona eran más bien como de Nuestra Señora de Guadalupe. Pero eso es lo de menos: a usté le dicen que se apareció la Madre de Dios y, si tiene fe, se lo cree todo y hasta mira lo que otros no ven, me canso que sí.

Ai en la huerta Aurorita había montado un tenderete de veladoras, cirios, estampitas y milagritos de oro y plata. Junto al árbol taban dos botes grandes de hojalata pa que los creyentes echaran la morralla y a cambio recibieran indulgencias. Como al ojo del amo engorda el caballo, Lorenzo y Aurorita no se movían del altar y todo el tiempo rezongaban: «Una limosna para el Santuario de Nuestra Milagrosa Virgen del Árbol del Paraíso. Un óbolo para la edificación de su capilla. Dé lo que sea su voluntad. Nuestra Señora se lo multiplicará con bendiciones».

Si algún cuate, una muchachilla o una vieja beata querían seguirse de largo sin aflojar la lana, Lorenzo y Aurorita les recordaban su deber de pagar entre todos el templo que debían levantarle a la Virgen. Quien no cumpliera con sus Sagrados Deseos no recibiría su Bendición, liba a ir mal en la cosecha, no encontraría marido o seguiría maltratada por su esposo. Y luego, al estirar la pata, derechito al fuego eterno.

–¿Y usted qué hizo?

–¿Yo? Pus afilé las garras y, onque andaba todo fachoso y comido por los piojos como cualquier animal, me dejé caer hincado, con los brazos en cruz y los oclayos en blanco, recitando la Manífica y echándome uno que otro Oremus o un Miserere.

Y en eso estaba cuando apareció una señora con harta lloradera pa dar las gracias por un favor recibido. Tras ella iba, arrastrando muletas, un joven con un retablo acabadito de pintar y un milagrazo de oro que fue a prender en el manto azul a los pies de la Virgen. Se hizo un griterío y no alcancé a oyir casi nada. Parece que el vejestorio iba a agradecerle a Nuestra Señora la salvación de su hijo, tullido en un temblor o en un derrumbe de los cerros. Los dos se pusieron tan emocionados que ya merito les da un telele.

Entonces un pobre indio mecapalero se acercó a decirle a Lorenzo que, si la Virgen era tan milagrosa, había que avisarle al Señor Obispo como Dios manda. Lorenzo tiró a lucas al metiche y nos apantalló con su respuesta:

—La Santísima Madre del Salvador le ha dicho a mi señora esposa, su intermediaria, que no quiere saber nada de curas hasta que no tenga su capillita.

Lo hubiera usté oído. Qué bruto, cómo se adornó el cabrón al decir eso. Parecía como si él fuera el mismísimo Papa que acababa de hablar con la Virgencita. Verdá de Dios, admiro a Lorenzo sólo por aguantarse la risa ante todas las babosadas que inventaba pa engatusar a los pendejos.

Desde luego mi personalidá les llamó la atención a Lorenzo y Aurorita. Le ordenaron a don Jesús que me llevara a la casa grande pa conocerme. Qué diferencia con el jacal del chopas: planta de luz eléctrica, fosa ascética, tina de baño, indoloro, lavabo, sala, comedor, buenos cuartos, camas en vez de petates, mesa de roble, despensa llena, estufa de petróleo... Pa qué le cuento.

Lorenzo tenía una cara de jijo de puta que todavía le estoy viendo. Muy relamido, muy sangrón, pelo patrás y más envaselinado que el carajo, bigotito de charro montaperros, patillotas. Aurorita no era lo que se llama un cuero: estaba buenona, entrona, onque un poco gordales, y ya se veía muy aplaudida. (A lo mejor antes de casarse ruleteaba.) El caso es que los dos piojos resucitados se sentían la divina garza envuelta en huevo. Sólo por ser más blanquitos los cabrones querían demostrarles a los demás que eran una manada de indios pazguatos.

Eso sí: nomás oyeron mi jarabe de pico y calaron con quién estaban tratando. Me canso ganso, cómo carajos no. Andaba vestido de totonaco pero a leguas se me notaba que venía de la Gran Capital y no era un pinche campesino inorante, de esos a los que con todo y la Revolufia ellos seguían tratando a patadas como endenantes.

Lorenzo y Aurorita me miraban con cara de «¿y éste de dónde salió?». Les conté que me llamaba Ulalio Domínguez, nombre de mi abuelito que en paz descanse, y repetí el mismo cuento: vendedor de chinga-

117

deras, desmadrado por ladrones, perdido en esas tierras sin agua.

Como se imaginará, no les dije que me buscaban por asesinato ni que pasé mis buenas temporadas en la Penitenciaría del Distrito, más conocida como el Palacio Negro de Lecumberri. Hicieron como que apechugaban con todas las papas que yo de a tiro les estaba inventando. Le dijeron a don Jesús que fuera a ver cómo les pintan las rayas a los tigres y, cuando ya se habían ido todos los fieles, cerraron las entradas a la huerta y me invitaron a cenar.

Qué bien jamamos, caray: sardinas, aceitunas, atún, jamón serrano, cebollitas en vinagre, lomo, huevos con chorizo, queso de bola, pan blanco, cerveza, frutas en almíbar, café, brandy español. Todo me supo a gloria después del hambre y de los frijoles con gorgojos, las tortillas duras y el agua llena de submarinos que me había dado mi amigo el carcamal. Otra vez me dije pa mis adentros: «Pinches rateros, hijos de su pelona: Están haciendo el negocio de su vida pero se van a encontrar la horma de su zapato. Me cae que sí».

Pa semblantearlos y como por no dejar, cuando ya estábamos con unos tragos entre pecho y espalda, les solté: «Fui monaguillo y sacristán. Hice votos de pobreza y castidá. Iba a entrar al seminario cuando vino la persecución religiosa y cerraron todas las iglesias. El padrecito García Guerra me enseñó a decir misa y a hablar cantando: Miserere. Páter nóster. Dóminus obispus. Requiéscat in tentationem. Ipse nobis carita-te, salutate. Laudamus ómnibus viventus, trenis ange-lórum. Ora pro nobis, sicut pájarus et ovis. Dies irae, dies irae, Sanctus Filius de sum Mae. Oremus».

Soy tan inteligente, ya ve usté, que aprendí bien latín nomás oyendo al cura. Lorenzo y Aurorita que-daron apantalladísimos con mi canturreo. Al ver que quien con toda humildad se les había presenta-do como un pobre vendedor ambulante era persona culta y gente de Iglesia, me pidieron que me quedara con ellos pa guiar el Rosario, tratar con los devo-tos, sacarles sus donativos y echar un ojo al bote de las limosnas y al puesto de milagritos y veladoras.

«¿Cuánto quiere ganar al mes?», preguntaron. De puro aventado les contesté: «Mil pesos». Onque ora suena ridículo, no se imagina usté lo que eran mil del águila en aquella época. Y yo que los veía tan pichi-catos y cuentachiles como todos los patrones a los que la Bola les dio en la madre, me llevé la sorpresota de que me contestaran: «Oquey». Híjole, cuate: qué no estarían sacando los muy malditos a costa de tantear a puro muerto de hambre pa darse el lujo de descol-garse con mil chuchulucos pa su conlaborador.

–Será co-la-bo-ra-dor.

–No sea maje: yo hablo requetebién porque oigo radio y leo *La Prensa,* el *Esto* y el *Magazine de Policía.* Y en cuanto llegue la televisión me compro mi apa-rato. ¿A poco cree que nomás usté solito fue a la es-cuela? Es «conlaborador» porque se dice «conlaborar con». ¿No es cierto?

Total, como liba diciendo, al don Chuchales, que hasta eso era muy buena gente, mizo un ladito en su tejuil. Se portó bien el ruco, lo que sea de cada quien. Lástima que todo el tiempo yo anduviera con el alma en un hilo porque su único hijo le salió bien raro. A cada rato andada toqueteándome: «Ay qué brazotes tan fuertes, qué manotas, qué cuello de toro». Yo estoy seguro de que a ese firuláis le hacía agua la canoa, cachaba granizo, bebía arroz con popote y le gustaba la Coca Cola hervida.

Me daban risa unos versos que le compuso la malvada de Aurorita: «El viejo gacho / tiene un muchacho / que no se sabe / si es hembra o macho». Pero a él lo mantuve a raya a base de coscorrones y, como soy medioquerendón y bien labioso, me volví cuate de los demás ejidatarios. Me agarraron confianza y yo, que tengo concha, pus nomás me acuadrilé pa dejarme querer y nunca saqué las uñas. También frente a Lorenzo y Aurorita yo siempre navegaba con bandera de pendejo.

–¿Le contaron la verdad?

–Ah no, ni una palabra. Teníamos cosas de las que no se hablaba. Cerré el hocico, ellos también, y todos contentos. Les entregaba las cuentas y las limosnas completitas y ni siquiera cuando me tocaba pasar la charola o llevar el bote de hojalata a la casa grande me clavaba centavos. Lorenzo y Aurorita me agarraron fe; creyían que de verdá era medio eclesiástico;

mis latines como que le daban mayor seriedá al culto de la Virgen y los dos estaban seguros de que con tan buen sueldo yo no tenía razón de avorazarme. No calaron que quien nace pa geranio siempre encuentra su maceta.

Además, aquí entre nos y muy en confianza, le diré que cuando Lorenzo siba en su fotingo a cambiar los fierros por billetes grandes pa guardarlos en la caja fuerte porque no les tenía fe a los bancos, yo me cobraba horas extras dándole vuelo a la hilacha con Aurorita. Era bien cachondísima y hasta se me afigura que Lorenzo, pese a su juventú, pus nomás no paraguas. El caso es que Aurorita andaba urgida de un tarzán bien puesto que le midiera el aceite y se encontró con su rey.

Ay, mi carnal, no lloro, nomás me acuerdo: en aquellos tiempos yo no andaba tan tirado a la calle. No era muy tipo que digamos pero todavía estaba medio jovenzón, no cargaba esta panzota de pulquero que ora me boto, ni esta papadóuer, ni estas arrugotas, ni estas patrullas de gallo. Lo único que me queda son las ganas, pero a lo macho que no faltan viejas que anden por ai suspirando pa que yo les haga el favor.

Ésa sí era vida ¿no?: chamba a toda madre y buti cachuchazo. Ai me las den todas. Ai sí se les acaba lo orgullosas a las cabronas. Frente a su marido bien altiva la muy jija. Nomás sobajándome como a los pobres indios y mandoteándome paquí y pallá como si de verdá fuera su gato. Pero cuando le daba pa sus tunas vaya que se le bajaban los humos y puro «más, papacito» y «más, papacito».

–Oiga, pasando a otro asunto: ¿el gobierno estatal no mandó a investigar qué estaba ocurriendo?

–Ni se la olieron los muy tarugos. O si sabían, se hicieron pendejos. Porque acababa de pasar la guerra cristera, se habían firmado las paces con la Iglesia y después de tantos muertos lo mejor era hacerse de la vista gorda con los católicos. Igual siguen ahora. Si le mueven se puede armar otro desmadre de los mil demonios... Onque pensándolo bien, se me hace que Lorenzo tenía palancas con los meros meros. Quién quita y se había arreglado hasta con el gobernador y le pasaba su corta feria. Bueno, pus pa no hacerle el cuento largo, la Virgen se volvió cada día más milagrosa. La indiada de por ai dejó de ir a las iglesias pa venirse nomás al rancho.

–Y los curas ¿no protestaron?

–Qué va. Le sacaban coyonamente al asunto o a lo mejor también creyían en el milagro, sabrá Dios. El caso es que la aparición pegó con tubo. Corrió tanto la fama de la Santísima Virgen del Árbol del Paraíso que los domingos venían hasta familias decentonas de los lugares importantes. Y eso que no había carretera ni nada por el estilo, sólo una brecha de arrieros tan piedregosa que los carros se desconchiflaban a cada rato. Lo que es la fe, compadre: nadie se olió el tejemaneje porque la Virgen los curaba de sus males, hacía volver a los hijos ausentes, les hallaba trabajo, les iluminaba el coco pa encontrar ojetos perdidos. Ai sí que sólo Dios sabe. Yo en asuntos de religión soy muy respetuoso.

–¿No le remuerde la conciencia por haber engañado a tanta gente?

–No la chingue, mi cuate. La conciencia no se come. Yo tenía que sacar de algún lado pal pipirín. Además, si los fieles quedaban tan satisfechos, ¿yo qué daño les hacía? Antes al contrario, deberían agradecerme que los ayudara a sentirse bien y a resolver sus problemas.


Bueno, se dará idea de cuánta gente iba a pedirle o a agradecerle favores a la Virgen con que le diga que, a los tres meses de mi llegada, los retablos casi tapaban los árboles de la huerta, los milagros ya no cabían en el altarcito y antes de mercarlos los empacábamos en la alacena de la casa grande. Los más corrientes los revendíamos al mismo, pos ni madres de que alguien se diera cuenta. Los de oro y los especiales, Aurorita siba a México a venderlos al chas chas ajuera de la Basílica. Qué agusada ¿no?

Lo que más me gustaba era ver y leer los retablos. En uno de ellos la Virgen detenía una locomotora y salvaba al borracho caído entre los rieles, el mismo güey que luego mandó pintar el cuadrito. En otro, ayudaba personalmente en un parto difícil. En el de más allá agarraba a un torazo por los cuernos pa que no despanzurrara a un matancero. De veras que hay que tener fe en la Fe, mi amigo. Me hubiera encantado retractarme con todo aquello. Sería padrísimo poder mostrarle a usté una foto mía con la Virgencita. Además, de haber sabido pintar, sólo con los retablos me hago rico. Llegaban chorromil todos los días.

Claro que por entonces la cosa estaba que ni mandada a hacer pa la aparición de la Virgencita. Muchas iglesias del campo seguían serruchas. La gente llevaba años sin tener a quien rezarle de bulto. Todo andaba hecho bolas. Acababan de parcelar las haciendas. Lorenzo y Aurorita se quedaron sólo con el casco de lo que fue la propiedá de don Lorenzo padre. Imagínese usté, después de tantísimos años de guerra y reboruje, siglos y siglos en que no tuvieron ni en qué caerse muertos, de la noche a la mañana los peones se habían vuelto ejidatarios y eran dueños de las tierritas que antes trabajaban pal patrón. Nadie los mandó a la escuela y no sabían pa dónde agarrar. Y cuando menos lo pensaban que se van encampanando con una Virgen que se les aparece, los aconseja, los ayuda en su cabrona vida que sin Revolución o con Revolución ha estado siempre del carajo.

—¿Eso cree usted?

—No, es más o menos lo que luego dijeron los periódicos. Sea como sea, las cosas nos estaban saliendo tan a toda madre que yo, que me pinto solo pa las corazonadas, me decía: «Fíjate bien, Anselmo, ándate con cuidado que esto no dura mucho. Un día va a salir todo el enjuague». Ai sí que ni modo. No hay bien que dure cien años y tanto quería el diablo a su hijo que hasta le sacó un ojo.

–Sí, sí, pero ¿cómo acabó todo el asunto?

–Pérese, pérese. No coma ansias, mi amigo: agárrese con veinte uñas que ora viene lo más emocionante. No creo que nunca se me olvide la pinche tarde en que Lorenzo agarró su fotingo y se fue a Puebla a comprarse un carro nuevo, nada menos que un Packard último modelo.

Puse a don Jesús a que le echara ojo al changarro, fui a darle gusto al cuerpo, me abroché bien a Aurorita, la dejé en su nidito de amor cansada pero contenta y volví a plantarme como estuata junto al árbol del paraíso. Y ai estaba muy quitado de la pena cuidando las limosnas, echándome de vez en cuando un Oremus o un Miserere, cuando vi nubarrones por las montañas. Mice guaje. Pensé: «En esta tierra tan seca nunca llueve en verano. Aquí no ha caído una gota ni en cien años. Aquí el agua sólo se encuentra bajo tierra».

Dónde miba a imaginar que de repente ¡cuas! que se oye un trueno y ¡zúmbale! que se deja venir el aguacerazo y ¡charros! que cae también granizo. Y mientras las viejas se enrebozaban y los tipos se enjaretaban los sombrerones ¡rájales! que la lluvia y la granizada desmadran los techitos de palma y ¡zácatelas! que la Virgen comienza a despintarse.

Se me enchinó el cuero. Pensé: «Me lleva la chingada. Ya le salieron las liendres a la leona. Ya se acabó la fiestecita». Lice la promesa a la Santísima Virgen de Guadalupe de que si me sacaba con vida de la que siba a armar, yo iría desde la glorieta de Peralvillo hasta el altar mayor de la Basílica de rodillas y con una penca desangrándome la espalda.

La gente se quedó de a seis al ver cómo escurrían los colores del tronco y sólo iba quedando el bulto tallado a navajazos por Lorenzo. Todo en menos de un minuto ¡palabra! Los hielazos como huevos de codorniz me pespunteaban en la chiluca. Entonces me dije pa mis adentros: «Mejor vas ahuecando el ala, Anselmo. Esto se va a poner del cocol. Más vale que digan aquí corrió que aquí murió».

Aproveché que todos estaban apendejados sin creer lo que veyían, como si fuera el fin del mundo ¡palabra!; corrí a la casa grande, busqué por todas partes a Aurorita. Quién sabe dónde carajos se había metido. Como no vi a nadie, me embolsé la pistolóuer que Lorenzo guardaba en el escritorio, abrí la caja fuerte –bien que me había licado la combinación sin que ellos se dieran cuenta– y ¡no faltaba más! agarré el dinero. El güey de Lorenzo, sin querer, me había hecho el favorzaso de cambiarlo en puro billete grande y, por si las moscas, meterlo en bolsas de lona.

Escuché el griterío enmedio del tormentón, el chubasco y la granizada que sonaba como ametralladora. Y entonces que me voy con mis costales retacados de harta lana hasta donde los fieles dejaban sus monturas y que me trepo a un cuaco y que salgo hecho la mocha con un cus-cus que de milagro no me zurré en los calzones. Fue un milagro del cielo el que pudiera pelarme casi en las narices de los que habíamos pendejeado. Si me echan mano no lo estaría contando, le aseguro.

–¿Cómo logró escapar?

–Toda la noche traquetié por montes y barrancos encabronados que me jodieron al caballo antes de lo debido. A mediodía el pobrecito dio el zapotazo. Al ver que ya siba a petatear saqué la matona, le dije: «No creas que es por la mala, mi hermano; te tengo ley, te debo la vida». Y le metí un plomazo en el coco pa que no sufriera al tirado. Al fin y al cabo si no hubiera sido por el penco veloz que la Divina Providencia puso a mi alcance, todos los méndigos a los que habíamos estafado me dan por Detroit, me cortan los de abajo y hacen que me los coma crudelios y en su tinta.

Con un dolor muy perro en las que le conté, anduve camine y camine con mis tambaches llenos de marmaja, escondiéndome de quien se me atravesara en el camino. Al día siguiente vi con un suspiro el cerro pelón que está a la entrada de Santo Domingo Cuixtlahuaca. Y entonces que me digo: «Con la ayuda de la Santísima Virgen y por purita suerte, otra vez ya chingastes, pinche Anselmo».

–Qué increíble. ¿Y luego?

–Esperé horas y horas, azorrillado entre los vagones de la estación, muerto de hambre y sed, hasta que tuve chance de colarme al tren de carga quiba rumbo a México. La mordida también hace milagros. Le unté la mano a un garrotero y me dejó meterme en un vagón lleno de aguacates. Otro billetito y se robó del botiquín alcohol y algodón pa que me adecentara, pues de tanto penar a cerro limpio yo parecía monstro de película.

–¿Y qué hizo al llegar a México?

–Me encerré varios meses, dizque enfermo, en un hotel al cerca de la estación de Buenavista. No salí ni a la esquina. Mandé comprar los periódicos y supe que a Lorenzo lo mataron los ejidatarios que habían sido sus peones, encabezados por don Jesús, el viejales que me tuvo en su cantón.

Lorenzo llegó feliz en su flamante patas de hule. Tocó tres veces el claxon pa que yo y Aurorita saliéramos a recibirlo y nos presumiera de su rufo. Seguía lloviendo a jicarazos pero el pendejo ni siquiera se olió lo que estaba pasando al atrasito de la casa grande, en la huerta. Sólo cuando oyó el rebumbio se le iluminó el cráneo. Metió reversa, dio vuelta en redondo y quiso pelarse. Pero no había modo de agarrar velocidá entre aquel lodazal y piedrerío.

El hijo de don Jesús, el que parecía tan tulatráis, resultó el más bravo. A chingadazos bajó del Packard a Lorenzo y entonces todos los calzonudos se le fueron encima con machetes, picos, palas y rastrillos. Le hicieron garras su coche nuevecito, le descubrieron todos los billetes que había cambiado y luego lo filetearon hasta hacerlo picadillo. A su fiambre, ya sin cabeza ni manos ni pipindonga, lo colgaron ¿dónde cree usté?: pues en el mismo árbol del paraíso. Ultimadamente ¡pobre cuate! Si no hubiera sido por él a mí no se me ocurre nunca el negocio.

No me lo va a creyer pero palabra de honor que igualito decía el periódico: apenas dejaron a Lorenzo hecho puré y colgado de las patas como tlacuache, cayó un rayo en el árbol. La indiada se asustó y don Jesús gritó que era una venganza del Cielo por el santilegio: el Señor exigía más sangre pa vengar la ofensa hecha a su Madrecita.

Entonces se fueron a buscarme y a buscar los tostones. Cuando van viendo que en la caja fuerte ya no había centavos –los fierros que ellos mismos juntaron con tanto trabajo y dieron con tan buena voluntad– ¡ijijos! pa qué le cuento. Eso fue la puntilla. Tan devotos que estaban y tan encabronadísimos que se pusieron: incendiaron la casa grande y acabaron con todo lo que tenían enfrente.

–¿Y Aurorita?

–Enmedio de aquel desmoche y desgarriate unas niñas la encontraron agazapada entre los maizales, temblando como un perro. El miedo la atarantó. Además la muy bruta no era del campo, no sabía montar a caballo ni esconderse en el monte.

Claro que pa mí fue una suerte no encontrarla, porque si no ni modo de correr como alma que lleva el diablo: Aurorita estaba empreñada y bien que me hu-

129

bieran dado matarile. Y si me salvo, a güevo hubiera tenido que cargar con ella. Y entonces ¿qué carajos hacía con Aurorita y mi chamaco? Ni madres de ponerla a putear de nuevo... Pobrecilla Aurorita, qué lástima, qué dolor, qué pena, cuánto lo siento, cómo me acuerdo de ella... Sin embargo, mi lema siempre ha sido: primero yo, después yo y siempre yo.

–Sí, sí pero ¿qué le hicieron?

–La muy bruta, al ver que le caían de a montón, creyó que podía rebajarlos como antes. Los insultó y les dijo: «Indios patarrajada». Cuando le aventaron la cabeza de Lorenzo, empezaron a apedrearla y empuñaron los machetes, Aurorita gritó, lloró, les pidió perdón de rodillas y prometió devolver hasta el último centavo. Qué liban a hacer caso. Los mismos que antes creyían mediosanta a la patroncita por ser la que primero vio a la Virgen, ora sólo buscaban desquitarse y le estaban poniendo una piedriza de padre y señor mío.

–Qué horror.

–El mismo hijo de don Jesús se asustó al verlos tan enchilados, agarró un cuaco y fue a dar el pitazo al destacamento de Cuextepec. Contaba el periódico que si no ha sido porque entraron los sardos con su caballada, se matan entre ellos mismos. Se calmó la trifulca gracias a que un teniente y sus juanes los dejaron sosiegos a culatazos. Los federales levantaron a Aurorita todavía con vida, pero desangrándose, ya sin ojos ni cara, un guiñapo la infeliz vieja, hecha polvo por la bala fría. El veterinario del cuartel –único doctorci-

130

to a la mano– lizo la lucha. Pero Aurorita se les difuntió ai mero en la milpa.

–Espantoso. ¿Y se enteraron de que usted se había llevado todo el dinero?

–¡Hombre!, quién más, ni modo que hubieran tantos chingones. Don Jesús, su hijo y mis otros cuates juraron por la Santísima Virgen que miban a buscar por cielo y tierra y cuando me encontraran me machacarían los tompiates con molcajete y me despellejarían vivo y me pondrían sal y chile por todas partes.

Pero se les cebó. Nací con reteharta suerte, verdá de Dios. A don Jesús y a su hijo los condenaron a la pena máxima por doble asesinato con agravantes, motín y daño en propiedad ajena. Los mandaron en la cuerda de las Islas Marías pero a medio camino, pum pum pum pum: les aplicaron la ley fuga. Murieron como conejos mis valedores que en paz descansen. Como los otros no tuvieron pa los jueces, los embotellaron a quién sabe cuántos años. ¿No le digo, señor? Habemos unos que chingamos al que se deja pero el pobre indio del campo es el que siempre paga los platos rotos.


–Y a usted, ¿lo detuvieron en la capital?

–Nuncamente. También me la pelaron los muy jijos. La chota creyó lo que le había contado el carcamal: que me llamaba Ulalio Domínguez, era vendedor ambulante y sólo conocía los pueblos rabones del rumbo. Además, enseguida la autoridá le echó tierra al topillo pus, como siempre pasa, podía enredar gallo-

131

nes que volaban muy alto. Con decirle nomás que un gobernador se quedó con las tierras de Lorenzo y de los ejidatarios presos. La hacienda volvió al tamaño que tuvo en tiempos de don Porfirio. Después el rata le metió obras de irrigación y la vendió en quién sabe cuántos millones de dólares a unos gringos.

Mientras tanto, mi amigo, quién jodidos siba a imaginar que el más grande de todos los tracaleros andaba escondiéndose en la meritita Ciudá de México. Eso sí: dándome la buena vida con furcias de primerísima calidá, comilonas en buenos tragaderos, hotelones de lujo, tacuches caros y pura beberecua de la fina. Hasta que me chupé la última limosna y me quedé otra vez en la quinta chilla, en la más completa prángana.

–Qué bárbaro. ¿Y después?

–Bueno –concluyó Anselmo–, al sí le toca decidir a usté. Ya le dije a lo macho cómo anduvo la cosa hace unos años. Ora volví a jugármela y, si me echa una mano, por Dios Santísimo que otra vez me hago rico y a usté le toca una buena tajada. Pero si le zacatea a la movida chueca, en este mismo instante se me larga, mi cuate. Porque esto de las apariciones es cuestión de purititos güevos, y hay que andarse con prisas porque el verano ya se está acabando.

# No entenderías

7

A Margo Glantz

Al cruzar la calle me tomó de la mano. Sentí húmeda su palma.

—Quiero jugar un rato en el parque —me dijo.

—No. Tenemos que regresar. Tu mamá nos espera. ¿Ves?, ya no hay nadie. Todos los niños se han dormido.

Cambió la señal. Los vehículos se precipitaron. Corrimos para alcanzar la acera del parque. El olor a gasolina quemada se disolvía en la frescura de la hierba y las frondas. Los restos de la lluvia se evaporaban o eran absorbidos por la tierra.

—¿Van a salir hongos?

—Tal vez para mañana ya habrán salido.

—¿Me traes a verlos?

—Sí, pero tienes que acostarte pronto para que te levantes muy temprano.

Caminaba rápido y la niña tenía que esforzarse para avanzar a mi paso. En un momento se detuvo, alzó los ojos, me miró, cobró aliento y un poco avergonzada me preguntó:

–Papá, ¿existen los duendes?

–Bueno, sólo en los cuentos.

–¿Y las brujas?

–Igual: sólo en los cuentos.

–No es cierto: he visto brujas en la tele y me dan mucho miedo.

–¿Por qué? En la televisión pasan cuentos y en ellos salen brujas para divertir a las niñas, no para que se asusten.

–¿Entonces no es verdad todo lo que sale en la tele?

–No, no todo. Es decir... ¿Cómo explicarte? No entenderías.

Oscureció. El firmamento estaba lleno de nubes plomizas. En los botes de basura se pudrían los desechos. Bajo el rumor lejano del tránsito se escuchaban caer gotas de lluvia escurridas de las ramas. El sendero que tomamos como atajo para llegar a la estación del metro atravesaba un claro entre las arboledas. A la distancia un reloj luminoso daba la hora, la temperatura y la fecha. Me llamó la atención ver que era el día 7 del séptimo mes de 1967. Otro día único que no volverá jamás, pensé.

En ese instante los gritos llegaron hasta nosotros. Diez o doce niños habían cercado a otro. De espaldas contra un árbol, los miraba temeroso pero no pedía auxilio ni piedad.

–¿Qué están haciendo?

–Peleando. Vámonos de aquí.

La presión de sus dedos fue como un reproche. Se

había dado cuenta. Yo era responsable ante ella. A su vez la niña significaba para mí una coartada, una defensa contra el miedo y la culpa. Entonces se lanzaron contra él. En vez de huir quedamos inmóviles. Vi la cara oscura enrojecida por las manos blancas. Grité que se detuvieran. Sólo uno de ellos se volvió a mirarme y me despachó con un doble gesto de amenaza y desdén.

La niña observaba la escena sin parpadear. El muchacho se desplomó y ya en tierra lo patearon entre todos. Alguien lo puso de pie y los demás lo abofetearon de nuevo. Quise decirme: No intervengo por proteger a mi hija y porque nada podría contra ellos.

–Diles que no hagan eso.

–Vámonos. Apúrate.

Los otros se alejaron a todo correr y se dispersaron entre los árboles del parque. Tan insignificantes les parecimos que ni siquiera se molestaron en insultarnos. Sentí una abyecta liberación, tuve la esperanza de que la niña pudiera imaginarse que huían de mí.

Ya a salvo, nos acercamos. El muchacho golpeado se incorporó. Sangraba por las narices y la boca. Le dije:

–Permítame ayudarlo. Lo llevaré...

Me vio sin responder. Se limpió la sangre con los puños de la camisa a cuadros. Le ofrecí un clínex. No hubo siquiera una negativa, sólo desprecio en sus ojos. Alcancé a percibir algo como un horror indefinible en la mirada de la niña. En ambos había una sensación de estafa: yo acababa de traicionar a los dos.

El muchacho nos volvió la espalda sin decir nada y se alejó arrastrando los pies sobre la tierra húmeda. Por un instante creí que iba a desplomarse. Pero siguió hasta perderse entre los árboles. La niña y yo nos miramos en silencio.

–Vámonos ya.

–¿Por qué le pegaron si él no les había hecho nada?

–Se pelearon, no sé.

–Ellos eran muchos. Son malos, ¿verdad?

–No está bien lo que hicieron.

El parque me parecía interminable. Nunca íbamos a alcanzar la estación del metro, jamás regresaríamos a casa, la niña no cesaría de preguntarme ni yo de darle respuestas inútiles, las mismas que recibí a su edad.

–Entonces es bueno el niño al que le sacaron sangre los otros.

–Sí, es decir, no sé.

–¿O es malo también?

–No, los malos son los otros porque no se debe actuar así.

Al fin encontramos a un policía. Traté de explicarle lo que acababa de suceder. La niña intervino en mi ayuda y describió todo en pocas palabras y mucho mejor que yo.

–Es irremediable. Pasa a todas horas. Hizo bien en no entrometerse. Son peligrosos. Andan armados. Dicen que el parque es sólo para blancos y todo negro que entre en él pagará las consecuencias.

–No puede ser: todo el mundo tiene derecho a pasar por aquí.

–¿Lo dice en serio? Así habla alguna gente de este barrio. Pero luego no acepta negros en sus casas ni deja que se sienten en sus bares.

Hizo una seña afectuosa para la niña y se alejó sin decir más. Sentí frío, cansancio, ganas de cerrar los ojos. Llegamos a la salida del parque. Tres jóvenes negros se cruzaron con nosotros. Nadie me había mirado nunca en esa forma. Vi las navajas de resorte y pensé que iban a atacarnos. Pasaron de largo y se internaron en la arboleda.

–¿Qué van hacer?

–A no dejar que les pase lo mismo que al otro.

–¿Por qué siempre tienen que estar peleando?

–No puedo explicártelo. Es muy difícil. No entenderías.

Me puse en cuclillas y le abotoné el abrigo. La estreché levemente, con ternura y con miedo. Entramos en la estación del metro. Nos envolvía un principio de niebla. El parque avanzaba sobre la ciudad. Todo iba a ser de nuevo selva.

Civilización y barbarie

A José Ricardo Chaves

El fuerte es un punto a mitad de la pradera. Hacia él convergen los apaches encabezados por Jerónimo. Al galope bajan de los montes y blanden fusiles, arcos, lanzas. Querido papá: Gracias por el regalo. Llegó justo el día de mi cumpleaños. Tardé una semana en contestarte porque fuimos movilizados y ahora estamos en plena selva. Me porté bien en mi bautismo de fuego. Recuerdo lo que me contabas de cuando luchaste contra los japoneses en Guadalcanal. De verdad es única la sensación de poder que te da el lanzallamas. Olson, un muchacho de Nebraska, lo considera un arma sucia. Quemar vivos a los otros –me dice– es algo que, como la tortura, deberíamos dejarles a los amarillos. Por mi parte, no me desagrada, todo lo contrario, achicharrar vietcongs. Dispositivos electrónicos, trancas, cerrojos: todo funcionaba. Esas puertas de hierro los detendrían. Ni con cañones los amotinados iban a entrar en mi casa. ¿Para qué iban a usarlos contra una persona decente, con un hijo luchando por la libertad en Vietnam? Todo el mundo me respetaba, yo era Mister Waugh. Me acerqué al ventanal y desde el piso diecinueve observé una ciudad desconocida para quienes la miran desde los rascacielos más altos. Allí estaban todos los beneficios de la cercanía y todas las ventajas de la distancia. El centinela observa la polvareda y da el toque de alarma. El coronel sube a la estacada y enfoca sus prismáticos. Los apaches se acercan al fuerte para presentar su última batalla. Los soldados de uniforme azulmarino cargan sus armas y corren a sus puestos. Vamos a limpiar toda la zona. Los congs la han llenado de galerías subterráneas. Pisamos un terreno sembrado de trampas, pozos ocultos entre la maleza que tienen en el fondo puntas afiladas de bambú. No sé de dónde salen tantos *charlies:* matas cincuenta y al instante los reemplazan mil. Pese a todo, estoy seguro de que al concluir este 1967 lograremos el control absoluto. Papá, ustedes deben presionar para que Johnson nos autorice a destruir Norvietnam. Una cadena de bombardeos, una ofensiva terrestre y en dos semanas entramos en Hanoi. Sentí el placer de hundirme en el sillón de hulespuma forrado de terciopelo. Al echarlo a andar se dislocó para estimularme con un masaje que aceleró la circulación en todo mi cuerpo. Me gustaba la casa. Había anhelado tanto la seguridad que encontraba en ella. Envejecí en los años transcurridos desde el divorcio. Ya no tenía interés en lo que antes consideraba mis aventuras. Cada viernes llamaba por teléfono a una chica distinta. Era tan sencillo como arreglarse con otras mujeres para que limpiaran el apartamento. Dan vueltas en torno de la empalizada y arrojan las primeras flechas incendiarias. Nuestra superioridad humana y tecnológica es de verdad aplastante. No me explico en qué forma han podido resistir estos habitantes de la prehistoria. Papá, Vietnam no es ni será otra Corea. Tengo absoluta fe en nuestra victoria. Ni rusos ni chinos intervendrán jamás. Nadie quiere desatar la tercera guerra mundial porque todos resultarían destruidos. Regresé a la ventana. La multitud corría envuelta en nubes de gas. Sobrevolaban helicópteros. No había peligro para mí, estaba a salvo. Y nosotros cada vez tenemos mejores armas. ¿Has visto en televisión la bomba que esparce en varios metros a la redonda diez mil agujas que por todos lados tienen tanto filo como una hoja de afeitar? Las flechas caen en los cobertizos. Arde el depósito de pastura. Los apaches cargan de nuevo. Disparan sin frenar su galope. En lo alto de la empalizada se desploman varios soldados. Un helicóptero descendió entre las filas de rascacielos. No me explico por qué allá protestan contra nosotros si estamos arriesgando nuestras vidas a nombre de todos. Desmontan, trepan por la empalizada, la lucha cuerpo a cuerpo se generaliza dentro del fuerte. Arrojaron chorros de agua y balas de salva contra los amotinados. Los apaches abren el portón. Entra una oleada de jinetes. Arden las carretas de heno. Después te hablaré de mi experiencia en combate. Ahora debo ver al médico. Necesito dosis más poderosas. Nunca creí que en Saigón una putita de trece años pudiera estar tan infectada. Los defensores tienen que replegarse a la barraca central del fuerte. El ascensor se detuvo en mi piso. Escuché gritos, pisadas, golpes a la puerta. Tony Waugh atravesó el campamento rumbo a la enfermería. No hay calor como el que produce la humedad del río Mekong. Al terminarse las balas los soldados empuñan los sables. Tomé la ametralladora y disparé contra la puerta. Se escucha el clarín del Séptimo de Caballería. Los apaches huyen del fuerte. Los defensores se han salvado. La hojarasca cedió bajo sus pies. Tony Waugh se hundió con un grito en las puntas de bambú que erizaban la trampa. Antes de asomarme a ver qué había ocurrido intenté apagar el televisor. Era ya tarde: los apaches salían de la pantalla y arrasaban con todo. La ametralladora se deslizó de mis manos y sentí que me destrozaban los cascos sin herradura.

Algo en la oscuridad

A Neus Espresate

PRIMER ACTO

Los anteriores ocupantes tuvieron que abandonar apresuradamente la casa. Hallamos un teléfono arrancado de cuajo, ropa esparcida, muebles en desorden, cartas, papeles privados, alimentos a medio consumir ya cubiertos de moho. Aunque no encontramos huellas de gatos ni de perros, había un cobertizo de madera en el traspatio.

Todo lo desnaturalizamos al reordenarlo. Basta poner más a la izquierda una silla para que un cuarto ya no sea el mismo. Teníamos prisa por cambiarnos y era tan grave la crisis de alojamiento por la explosión fabril en la zona que en cuanto firmamos el contrato sólo pedimos que la inmobiliaria nos entregara la llave. No preguntamos por el rumbo ni por los antiguos inquilinos. A ellos, por lo visto, les tenía sin cuidado el juicio de quienes iban a reemplazarlos. Dejarlo todo en esas condiciones era muestra de una total despreocupación o una urgencia absoluta.

–Piensan regresar –dijo Ester.

–No lo creo. Alquilamos la casa por un año. Es mucho tiempo.

–Preguntemos a los vecinos.

–Somos recién llegados. La indiscreción nos crearía mala fama.

–Déjalo por mi cuenta. Buscaré una oportunidad sin forzarla... Oye, ¿qué tal si leemos los cuadernos, las cartas?

–No me parece bien: ¿Te gustaría que te lo hicieran?

–No, desde luego; pero no aguanto la curiosidad.

–Yo tampoco.

Fui a buscar los documentos y los leímos en voz alta. Eran cartas familiares, asuntos de trabajo, recortes, fotos, vestigios sin sentido alguno para extraños como nosotros.

–No me explico por qué no se llevaron estas cosas –dijo Ester–. A nadie le agrada ser observado en lo más íntimo.

–Parecería que no se fueron de aquí por su voluntad: alguien, algo, los obligó a salir sin darles tiempo de mirar atrás.

–¿Qué habrá sido?

–Tarde o temprano lo sabremos.


Me levanté a las cinco de la mañana, entreabrí la cortina y miré la fila de casas frente a la nuestra. Habían apagado todas las luces. La calle estaba envuelta en el resplandor de una luna metálica que irrealizaba el escenario. Sentí miedo ante aquel silencio. Nada se movía, ni el viento, ni una sombra, ni la hoja de un árbol. Yo era el único intruso en un planeta lívido y como desangrado de todas las materias terrestres.

No quise despertar a Ester. Tal vez hablar aquella noche nos hubiera salvado. Crecí en un medio donde no se podía ser cobarde y me acostumbré a enfrentar los desafíos. Aquello era otra cosa, algo que sólo había sentido durante la guerra cuando atravesamos un pueblo bombardeado en donde todos los habitantes se hallaban muertos.

Pasé el día en la fábrica. No me sentí mal. A fin de cuentas yo era un experto y resultaba útil para ellos. Al regresar encontré a Ester muy inquieta. Hablamos de generalidades y se negó a contarme qué había ocurrido. Ya en nuestro cuarto encendí el televisor. Rechazamos una pelea de box –siempre lo he detestado– y elegimos una vieja película acerca de un matrimonio que llega a habitar una casa de campo inglesa atestada de espectros. La mujer misma que les muestra el cottage es un fantasma.

Intenté ironizar sobre lo que veíamos. Ester se dio cuenta de que con ello sólo expresaba mis temores. Me pidió:

–Apaga el televisor.

Obedecerla significaba aceptar el miedo absurdo. Le contesté que estaba interesado por la trama y acabaría de ver la película.

–Como quieras –me dijo, se dio la vuelta y se ocultó entre las sábanas.

Intenté leer un libro de mi especialidad. Sin embargo, no lograba apartarme de la historia. Terminó con un grito de la mujer al darse cuenta de que también su esposo era un aparecido. Me dormí, desperté muy tarde y apenas pude llegar a tiempo a la fábrica.


Al acabar la cena, mientras la ayudaba a recoger los platos, Ester me dijo abruptamente:

–Vámonos de aquí.

–Imposible. Acabamos de llegar. Tenemos que aclimatarnos. En ninguna parte me darían un trabajo igual.

–No me gusta este sitio. Me aterra quedarme sola en la casa.

–Ya te acostumbrarás. Los primeros días siempre son difíciles.

–Todo se me hace tan extraño: el pueblo, los objetos abandonados, la gente...

–¿Has hablado con alguien?

–Crucé algunas palabras con la señora de la tienda... Me recomendó: «Es mejor que se vayan».

–¿Por qué?

–No dio razones. Supone que las sabemos perfectamente.

–Mira, no ignorábamos que iban a presentarse dificultades. Lo único que podemos hacer es despreocuparnos y dejar que las cosas sigan su marcha.

Pasamos un mes tranquilo. Poco a poco Ester se adaptaba a las circunstancias, el trabajo me satisfacía y el vecindario no daba señales de vida. A veces salíamos a caminar por el pueblo sin acercarnos mucho a las ventanas. Sin embargo alcanzábamos a ver las salas, siempre en penumbra sólo interrumpida por el brillo de la televisión. En ocasiones un rostro furtivo apartaba las cortinas para observarnos. Eso era todo.

Un sábado por la noche me disponía a lavarme los dientes cuando escuché un maullido que a la vez era un aullido. Pensé: «Ha vuelto el gato de los antiguos inquilinos». Mi primer impulso fue abrirle la puerta. Me contuve: Ester se encariñaría con él y no iba a permitirme que lo ahuyentara. Allí estaba el último regalo indeseable que nos dejaron los anteriores ocupantes. Creí que el gato acabaría por irse. Ester oyó también el sonido mixto y suplicó:

–Déjalo entrar.

–No: se quedaría para siempre.

–Mañana lo echamos.

–Si los vecinos se dan cuenta te acusarán ante la policía de maltrato a los animales.

–Entonces, si lo dejamos a la intemperie en esta noche helada, ya no serán indiferentes: se volverán hostiles.

–Hay mucho viento. No creo que escuchen los maullidos.

–¿Cuáles maullidos? Es un perro. ¿No lo oyes quejarse? Vamos a darle agua y comida. Después te lo llevas en el coche y lo abandonas cerca de la fábrica.

–No, no: regresará como ha vuelto ahora... Discúlpame pero me niego a abrirle la puerta.

–Bueno, como quieras. Ya es muy tarde. Vamos a dormir.

Cerré los ojos, intenté convencerme de que tenía sueño. El ladrido/maullido continuaba, imperioso, inflexible. Ester, sin hallar acomodo, se revolvía entre las mantas. Aguantamos cerca de una hora sin romper el acuerdo tácito de no decir una palabra. No obstante, el animal seguía imponiendo su presencia, exigiendo su derecho de entrada.

Lo escuché en el alféizar. Un gato bien pudo haber trepado en busca de una ventana; un perro no. El animal se había convertido en una obsesión. Tuve miedo y no quise aceptarlo. Cerré los ojos. Entonces me sobresaltó el grito de Ester:

–Aquí está: debajo de la cama. Lo he tocado.

Me incorporé de un salto, encendí la luz. Buscamos por todo el cuarto sin hallar nada. Se había hecho el silencio. Miré a Ester con un gesto de triunfo. En ese instante resonó más fuerte el maullido/ladrido. Salimos al corredor. Nos estremeció descubrir en el marco de la ventana la sombra arqueada y erizada de un perro-lobo con cabeza de gato. Ester se aferró a mí. Entrevimos la pelambre rojiza. Todas las luces se apagaron.

Lo que siguió fue la oscuridad, mi intento de expulsar aquello que había dejado de ser un animal, el olor a muerte y a cripta del ente que al abrirse paso nos contaminaba de húmeda podredumbre, el sonido fan-

goso de sus patas en la escalera, el odio en los ojos res-
plandecientes y encontrados cuando salió por la puerta y volvió la mirada, el viento oscuro que al entrar
en nosotros empujaba la casa hacia las tinieblas.


SEGUNDO ACTO


*La casa*

Igual a otras cuarenta alineadas en la calle. Construida a base de frágiles materiales ensamblados en pocas horas, hecha para ser indistinta y no perdurar, tiene un carácter abierto, aéreo, cristalino. En realidad,
las facilidades otorgadas a la luz las ejercen vecinos y
transeúntes que observan a toda hora cuanto ocurre
en el interior.

El sol brilla por su ausencia en este bosque de pinos situado en lo más alto de las montañas. Aquí las
persianas se consideran un sacrilegio. Nuestro culto solar florece como nostalgia a lo largo del año; como ceremonia tribal ciertos días del verano y algunas horas
imprevistas en los períodos fuera de estación.

## El interior

Sus alfombras dan a la pisada una ingravidez y una seguridad que hacen de la casa un lugar íntimo, asociado con las nociones de rango y poder. Cuando menos, el poder de abandonar las viviendas de mosaicos o duelas apolilladas que amenazan desplome. En la sala un calefactor eléctrico evita las molestias de acarrear leña y mantenerla encendida y concede la ficción de maderas ardientes, calcinaciones grises y encarnadas.

## El traspatio

Una muchedumbre de gorriones baja de los árboles en busca de migajas y desperdicios. A veces se entablan riñas feroces entre ellos. Los cuervos descienden y reemprenden el vuelo con trozos que no caben en el pico de los gorriones. Ante ellos sus enemigos forman un círculo resignado. Un cuervo amaga a los que se rebelan e intentan disputar la comida. Entonces la bandada de gorriones se asila en las más altas ramas. Los cuervos sólo temen a los perros que, hartos de alimento enlatado, hurgan en los botes de basura y roen los huesos. Hasta los perros de menor tamaño y aspecto inofensivo aprendieron de los gatos la habilidad de capturar gorriones. Tampoco ellos matan por hambre: dejan el cadáver entre la hierba una vez que la trituración los ha reconciliado con su instinto. Han sido fieras en épocas remotas; ahora pagan en tedio y humillación el precio de la seguridad. Nunca se encuentran perros callejeros. Si nadie los adopta la comunidad los extermina. No queremos ver contagiados de rabia y rebeldía a nuestros animales. Apareamos a los ejemplares de raza en lugares precisos. Neutralizamos a los demás al poco tiempo de nacidos. La gente viene a buscar la paz que es ya imposible en las ciudades. No admitimos escándalos ni excesos.

*Los habitantes*

No los hemos visto de frente. Aquí hablamos muy poco. Rehuimos el saludo y procuramos no cruzarnos en el camino de los demás. Por lo que vislumbramos cuando pasan cerca de nuestras ventanas, él ha de tener unos treinta y cinco años y ella cerca de veintisiete. El hombre trabaja en una industria cercana, no en la gran fábrica de armas donde la mayoría prestamos nuestros servicios. La mujer permanece todo el tiempo en la casa (¿tramará algo en contra nuestra?), la única sin antena de televisión. Quizá tengan un receptor portátil o sean tan imbéciles como para satisfacerse con la asquerosa música que escuchan. Lo hacen siempre a bajo volumen pues, se adivina, no quieren incomodarnos. Los rasgos que distinguen al vecindario son la hosquedad, la reticencia, la envidia atemperada por el desprecio mutuo que a veces se disfraza de cortesía. Sin embargo, todo recién llegado ofrece tributos y primicias: un pastel, un plato regional, un juguete para los niños, una botella de whisky. Ellos no: desde un principio se aislaron. En vez de implorarnos perdón por invadir nuestros dominios nos ofendieron. La codicia de la agencia inmobiliaria de nuevo la ha inducido a mandarnos personas detestables. Ninguna afrenta puede quedar sin castigo.


## El móvil

Nuestro orgullo son los prados. Vigilamos su crecimiento, alimentamos con abonos sus raíces, sustituimos las podadoras mecánicas por los nuevos modelos. Guiarlas es nuestro placer y nuestro descanso. El domingo por la mañana y algunas tardes soleadas el aire se llena con el rumor de nuestras máquinas eléctricas. Tenemos reglas muy precisas. Quien exceda en algunos milímetros la marca establecida sufrirá el rigor de nuestras leyes. Los habitantes no debieron hacernos esta ofensa. Como si sus actos anteriores no fueran ya agresiones a la buena voluntad de que siempre hemos dado muestra, violaron la cláusula más importante del contrato, dejaron crecer el césped frente a su casa, rompieron la armonía del conjunto, trajeron a nuestro refugio la suciedad del trópico, la incuria de los países atrasados, el salvajismo que amenaza a nuestras creencias ancestrales. Como sólo nos reunimos durante los solsticios, esta vez no hubo deliberación. Los ecos del templo triangular no repitieron las palabras de ira. Bastó con que en la fábrica intercambiáramos monosílabos y al encontrarnos en la calle señaláramos con un leve desvío de la mano el pasto indómito. Un movimiento de cabeza fue la señal que condenó a los habitantes y ratificó el acuerdo profundo entre nosotros. Somos magnánimos. Hemos desterrado de nuestros corazones el odio. La cruz no arderá en la noche de las colinas. Pensamos que bastaría una amonestación o una carta enérgica o que alguien –sin temor al contagio– se acercara a prestarles una podadora mecánica de las que se oxidan en los desvanes. Con la bondad que lo caracteriza nuestro sumo sacerdote disculpó a los habitantes: provienen de esos horribles bloques de concreto en que se hacinan por millares los seres como ellos; jamás tuvieron casas como las nuestras e ignoran por completo la obligación de cortar la hierba y mantenerla a la debida altura. De no haberse interpuesto la ceremonia, alguno de estos recursos hubiera bastado para ahuyentarlos sin necesidad de medidas radicales.

## La ceremonia

Fue vista con horror y a distancia por quienes nos levantamos temprano aquel domingo. La atribuimos a un culto relacionado con el vudú. Ambos salieron al traspatio. De la casita que en otro tiempo fue del perro sacaron una gallina. Aquí los testimonios no coinciden: para algunos era de color leonado, para otros de plumaje cenizo, y hay quienes afirman que era blanca: una gallina Legorn. Él y ella discutieron. Parecían demorar cruelmente el principio de la tortura. Al fin la mujer retrocedió unos pasos. Con un gesto que debe de tener significado en la liturgia de su secta, observó cómo su marido le rompía el cuello al animal mediante una torsión que nos pareció insoportable. El hombre dejó caer a la gallina. El ave tuvo fuerzas para dar unos pasos. Entonces su verdugo repitió el tormento. Esta vez la gallina emitió sonidos agónicos, giró en redondo y esparció plumas hasta que el movimiento se redujo a estertores. Quizá aún vivía cuando la llevaron al interior, acaso para seguir torturándola. La ceremonia provocó nuestra impotente furia. Aunque nunca lo hacemos y aquí la vida social se reduce al saludo y el comentario acerca del clima, aquel domingo nos llamamos por teléfono para hablar de lo sucedido. Como en el asunto del prado, hubo unanimidad: tal conducta era inadmisible, los habitantes merecían un castigo. Somos, es cierto, fabricantes de armas que alejan el peligro de guerra y mantienen bajo relativo control a la población de los países inferiores. Pero no toleramos la crueldad y menos la crueldad contra los animales. Desde luego, comemos pollos limpiamente ejecutados en la fábrica que procesa más de diez mil cada día. Si por rarísima excepción alguien decide criar sus propios animales o comprarlos en una que otra granja sobreviviente, nuestros hogares se hallan provistos de hachas para decapitar a las aves de un solo tajo. En ocasiones la gallina sin cabeza intenta una cómica fuga.

Por regla general se deja colgar patas arriba hasta desangrarse. Con esta práctica evitamos la repugnante ceremonia con que nos ofendieron los habitantes.

*La noche del sábado*

Nadie oyó ni vio nada. El pueblo estaba desierto. Hubo reunión en las colinas. Tenemos prohibido hablar de la asamblea nocturna.

*El desenlace*

Ese hombre y esa mujer terminaban de desayunar cuando escucharon ruido de máquinas en la calle. Tal vez, creyeron, iban a reparar el pavimento. Hubo rumor de palas y gritos de una cuadrilla que arrancaba el pasto con todo y tierra. Ella le reclamó que no se hubiera ocupado del césped y su negligencia acarreara esa orden oficial a la que seguiría una multa por descuido. Él tuvo la arrogancia de contestar:

–La pagaré con tal de no tener que cortarlo.

Subió las escaleras, entró en el baño y comenzó a afeitarse. Ella siguió lavando los platos en la cocina. Ambos trataban de no pensar en lo que pasaba ni reconocer que tenían miedo. Por último la mujer subió a decirle:

–Debes protestar. Si al menos nos hubieran avisado...

Él, sin dejar de afeitarse, contestó:

–Esperaré que toquen a la puerta.

En el traspatio se escuchó el aullido/ladrido. Respondieron los perros; cuervos y gorriones se posaron en los árboles. Se estremeció toda la casa. Volaron esquirlas de madera y pintura. Por la ventana los habitantes alcanzaron a distinguir la pala dentada de un trascavo. Salieron a la puerta. La casa se desplomó a sus espaldas. Uno de los guardias que acababan de arrancar la hierba se lanzó sobre la mujer y le desgarró la bata de nailon. Ella lo rechazó. Su marido derribó de un golpe a nuestro lacayo. Era lo que esperaban los demás para acometerlos. Mientras terminaban de destazarlos, y perros, cuervos y gorriones se iban aproximando al escenario, nosotros contemplábamos todo aquello en silencio. Una vez más y para siempre nuestro pueblo había quedado libre de intrusos.

Jericó

A Pedro Lastra

H avanza por un camino del otoño. El mediodía parece arder, las nubes se forman y se deshacen. En un claro del bosque encuentra un sitio no alcanzado por la sequía. Observa el cielo, se tiende en ese manto de frescura, prende un cigarro y escucha resonar el viento en las frondas.

Nada interrumpe la serenidad, el orden se ha adueñado del mundo. H baja la vista y descubre entre la hierba una caravana de hormigas que transportan los restos de una araña. Otras conducen briznas, fragmentos de hojas o semillas minúsculas, se acercan a las demás y entrechocan sus antenas en algo que parece trasmisión de órdenes o intercambio de noticias. La mayoría acopia miligramos de arena para levantar tenues murallas a la entrada de la ciudad subterránea.

H admira la disciplina, la unidad del esfuerzo, la energía solidaria. Quizá las esclavas comenzaron su viaje en tiempos inmemoriales, tal vez acaban de emprenderlo. Absortas en su afán, las hormigas no tratan de causarle el menor daño. Pero H no resiste el impulso de tomar una y triturarla entre los dedos. Luego, con la brasa del cigarro provoca la desbandada.

Las hormigas sueltan su presa y rompen filas. H calcina a las que intentan ocultarse. Hay un sombrío placer en exterminar a quienes no oponen resistencia. H se ha vuelto omnipotente. Un pueblo entero sucumbe al frenesí de la destrucción.

Cuando no queda hormiga viva en la superficie, H excava en pos de galerías secretas, salas, talleres, bodegas, prisiones. Es inútil hurgar la tierra mancillada: los pasadizos se han disuelto, H jamás profanará los misterios. Antes de levantarse, junta la hierba seca y prende fuego a las ruinas. El aire se impregna de un olor extraño.

Media hora después H llega a las montañas que dominan la capital. De pie en los acantilados ve por un instante el terror, el caos, las llamas que arrasan la ciudad, los edificios desplomados, el aire letal que todo lo devora mientras el hongo de humo y escombros se eleva hacia el sol fijo en el espacio.

# EL PRINCIPIO DEL PLACER

A la memoria de
Juan Rulfo,
Sergio Galindo
y
Edmundo Valadés

En todo terreno ser
sólo permanece y dura el mudar;
lo que hoy es dicha y placer
mañana será amargura y pesar.

*Elegía a la pérdida de Córdoba, Sevilla
y Valencia,* Abul Beka, de Ronda

Versión de Juan Valera

# El principio del placer

Para Arturo Ripstein

No lo van a creer, dirán que soy un tonto, pero de chico mis ilusiones eran volar, hacerme invisible y ver películas en mi casa. Me decían: espérate a que venga la televisión, será como un cine en tu cuarto. Ahora ya estoy grande y me río de todo eso. Claro, hay televisores por todas partes y sé que nadie puede volar a menos que se suba a un aeroplano. La fórmula de la invisibilidad aún no se descubre.

Me acuerdo de la primera vez. Pusieron un aparato en Regalos Nieto y en la esquina de avenida Juárez y San Juan de Letrán había tumultos para ver las figuritas. Pasaban nada más documentales: perros de caza, esquiadores, playas de Hawai, osos polares, aviones supersónicos.

Pero ¿a quién me estoy dirigiendo? Se supone que nadie va a leer este diario. En Navidad me regalaron la libreta y no había querido poner nada en sus páginas. Llevar un diario me parece asunto de mujeres. Me he burlado de mi hermana porque en el suyo apunta muchas cursilerías: «Querido diario, hoy fue un día tristísimo, esperé en vano la llamada de Gabriel»; cosas así. De esto a los sobres perfumados sólo hay un paso. Qué risa les daría a mis compañeros de escuela enterarse de que yo también ando con estas mariconadas.

El profesor Castañeda nos recomendó escribir diarios. Según él enseñan a pensar. Al redactarlos ordenamos las cosas. Con el tiempo se vuelve interesante ver cómo era uno, qué hacía, qué opinaba, cuánto ha cambiado. Por cierto, Castañeda me puso diez en mi composición sobre el árbol y publicó en la revista de la secundaria los versos que escribí para el día de la madre. En dictados y composiciones nadie me gana; cometo errores pero tengo mejor ortografía y puntuación que los demás. También soy bueno para historia, inglés y civismo. En cambio, resulto una bestia en física, química, matemáticas y dibujo. No hay otro en mi salón que haya leído casi completo *El tesoro de la juventud,* así como todo Emilio Salgari y muchas novelas de Alejandro Dumas y Julio Verne. Me encantan los libros pero el profesor de gimnasia nos dijo que leer mucho debilita la voluntad. Nadie entiende a los maestros, uno dice algo y el otro lo contrario.

Escribir tiene su encanto: me asombra ver cómo las letras al unirse forman palabras y salen cosas que no pensábamos decir. Además lo que no se escribe se olvida: reto a cualquiera a decirme día por día qué hizo el año anterior. Ahora sí me propongo contar lo que me pase.

Voy a esconder este cuaderno. Si alguien lo leyera me daría mucha vergüenza.

☐ Dejé varios meses en blanco. De hoy en adelante trataré de hacer unas líneas todos los días o cuando menos una vez por semana. El silencio se debió a que nos cambiamos a Veracruz. Mi padre fue nombrado jefe de la zona militar. No me acostumbro a este clima, duermo mal y se me ha hecho muy pesada la escuela. Todavía no tengo amigos entre mis compañeros de aquí. Los de México no me han escrito. Me dolió mucho despedirme de Marta. Ojalá cumpla su promesa y convenza a su familia para que la traiga en las vacaciones. La casa que alquilamos no es muy grande. Sin embargo está frente al mar y tiene jardín. Leo y estudio en él cuando no hace mucho sol. Veracruz me encanta. Lo único malo, aparte del calor, es que sólo hay tres cines y todavía no llega la televisión.

☐ Nado mucho mejor y ya aprendí a manejar. Me enseñó Durán, el nuevo ordenanza de mi padre. Otra cosa: cada semana va a haber lucha libre en el cine Díaz Mirón. Si mejoran mis calificaciones me darán permiso de ir.

☐ Hoy conocí a Ana Luisa, una amiga de mis hermanas, hija de la señora que les cose la ropa. Vive más o menos cerca de nosotros, aunque en una zona más pobre, y trabaja en El Paraíso de las Telas. Estuve timidísimo. Luego traté de aparecer desenvuelto y dije no sé cuántas estupideces.

□ Al terminar las clases me quedé en el centro con la esperanza de ver a Ana Luisa cuando saliera de la tienda. Me subí al mismo tranvía «Villa del Mar por Bravo» que toma para regresar a su casa. Hice mal porque Ana Luisa estaba con sus amigas. No me atreví a acercarme pero la saludé y ella me contestó muy amable. ¿Qué pasará? Misterio.

□ Exámenes trimestrales. Me volaron en química y en trigonometría. Por suerte mi mamá aceptó firmar la boleta y no decirle nada a mi padre.

□ Ayer, en Independencia (o Principal, como la llaman los de aquí), Pablo me presentó a un muchacho de lentes, mayor que nosotros. Cuando nos alejamos Pablo me dijo:
–Ése anduvo con la que te gusta.
No dio mayores detalles ni me atreví a hacer preguntas.

□ Manejé desde Villa del Mar hasta Mocambo. Durán dice que lo hago bastante bien. Me parece buena persona aunque ya tiene como veintiocho años. Un mordelón nos detuvo porque me vio muy chico para andar al volante. Durán lo dejó hablar mientras el tipo me pedía la licencia o el permiso de aprendizaje. Luego le dijo quién era mi padre y todo se arregló sin necesidad de dinero.

□ Ni sombra de Ana Luisa en muchos días. Parece que se tuvo que ir a Jalapa con su familia. Doy vueltas por su casa y siempre está cerrada y a oscuras.

□ Fui al cine con Durán. A la entrada nos esperaba su novia. Me cayó bien. Es simpática. Está bonita pero un poco gorda y tiene un diente de oro. Se llama Candelaria, trabaja en la farmacia de los portales. La fuimos a dejar a su casa. De vuelta le confesé a Durán que estaba fascinado con Ana Luisa. Respondió:

–Me lo hubieras dicho antes. Te voy a ayudar. Podemos salir juntos los cuatro.

□ No he escrito porque no pasa nada importante. Ana Luisa no vuelve todavía. ¿Cómo puedo haberme enamorado de ella si no la conozco?

□ Candelaria y Durán me invitaron a tomar helados en el Yucatán. Candelaria me preguntó mucho acerca de Ana Luisa. Durán le contó la historia, aumentándola. ¿Y ahora?

□ Al regresar de la escuela me pasó algo muy impresionante: vi por primera vez un muerto. Claro, conocía las fotos que salen en *La Tarde,* pero no es lo mismo, qué va. Había mucha gente y aún no llegaba la ambulancia. Alguien lo cubrió con una sábana. Unos niños la levantaron y me horrorizó ver el agujero en el pecho, la boca y los ojos abiertos. Lo peor era la sangre que corría por la acera y me daba asco y terror.

Lo mataron con uno de esos abridores para cocos que en realidad son cuchillos dobles y tienen en medio un canalito. El muerto era un estibador o un pescador, no me enteré bien. Deja ocho huérfanos y lo mató por celos el zapatero, amante de la señora que vende tamales en el callejón. El asesino huyó. Ojalá lo agarren. Dicen que estaba muy borracho.

Me extraña que alguien pueda asesinar por una mujer tan vieja y tan fea como la tamalera. Yo creía que sólo la gente joven se enamoraba... Por más que hago no dejo de pensar en el cadáver, la herida espantosa, la sangre hasta en las paredes. No sé cómo le habrá hecho mi padre en la revolución, aunque dice que al poco tiempo de andar en eso uno se acostumbra a ver muertos.

□ Volvió Ana Luisa. Vino a la casa. La saludé pero no supe cómo ni de qué hablarle. Después salió con mis hermanas. ¿En qué forma podré acercarme a ella?

□ El domingo Ana Luisa, la Nena y Maricarmen van a ir al cine y después a la retreta en el zócalo. Maricarmen me preguntó si me gustaba Ana Luisa. Como buen cobarde, respondí:

–No, cómo crees: hay muchachas mil veces más bonitas.

□ Llegué al zócalo a las seis y media. Me encontré a Pablo y a otros de la escuela y me puse a dar vueltas con ellos. Al rato apareció Ana Luisa con Maricarmen y la Nena. Las invité a tomar helados en el Yucatán. Hablamos de películas y de Veracruz. Ana Luisa quiere irse a México. Durán vino a buscarnos en el coche grande y fuimos a dejar a Ana Luisa. En cuanto ella se bajó, mis hermanas empezaron a burlarse de mí. Hay veces en que las odio de verdad. Lo peor fue lo que dijo Maricarmen:

–Ni te hagas ilusiones, chiquito: Ana Luisa tiene novio, sólo que no está aquí.

□ Después de mucho dudarlo, por la tarde esperé a Ana Luisa en la parada del tranvía. Cuando se bajó con sus amigas la saludé y le puse en la mano un papelito:

*Ana Luisa: Estoy enamorado de ti. Me urge hablar contigo a solas. Mañana te saludaré como ahora. Déjame tu respuesta en la misma forma. Dime cuándo y dónde podemos vernos, o si prefieres que ya no te moleste.*

Luego me pareció una metida de pata la última frase pero ya ni remedio. No me imagino qué va a contestarme. Más bien creo que me mandará al demonio.

☐ Todo el día estuve muy inquieto. Contra lo que esperaba, Ana Luisa respondió:

*Jórge no lo creo, como bas a estar enamorado de mi, asepto que hablemos, nos vemos el domingo amediodía en las siyas de Villa del Mar.*

☐ Durán:
—¿Ya ves? Te dije que era pan comido. Ahora sigue mis consejos y no vayas a pendejearla el domingo.
Maricarmen:
—Oye ¿qué te pasa? ¿Por qué andas tan contento? Lo malo es que no estudié nada.

☐ Quince minutos antes de la cita, alquilé una silla de lona en la terraza frente a la playa y me puse a leer *Compendio de filosofía,* un libro de la Nena, para

182

que Ana Luisa me viera con él. No entendí una sola palabra. Estaba inquieto y no podía concentrarme. Dieron las doce y nada. Las doce y media y tampoco. Pensé que no iba a venir. Ya me había hecho el ánimo de irme cuando apareció Ana Luisa.

–Perdona la tardanza: no podía escaparme.

–¿De quién?

–De mi mamá. No me deja salir.

–¿Recibiste mi carta?

–¿Cuál carta?

–Mi recado, quiero decir.

–Claro, te contesté: por eso estamos aquí ¿no?

–Tienes razón. Qué bruto soy... ¿Y qué piensas?

–¿De qué?

–De lo que te decía.

–Ah, pues no sé. Dame tiempo.

–Ya tuviste mucho tiempo: decídete.

–¿Cómo quieres que me decida si no te conozco?

–Ana Luisa, yo tampoco te conozco y ya ves...

–¿Ya ves qué?

–... Estoy enamorado de ti.

Me sonrojé. Estaba seguro de que Ana Luisa iba a reírse. Pero en vez de contestarme me tomó de la mano como si no estuviéramos rodeados de gente, en plena terraza entre el salón de baile y la playa.

No quiso que la invitara a tomar nada. Nos fuimos caminando por el malecón hasta el fraccionamiento Reforma. Me sentía feliz aunque con miedo de que alguien de la casa nos descubriera. Porque se supone que aún no estoy en edad de andar con mujeres; intentarlo es un delito que arruina los estudios y el desarrollo normal y debe castigarse con la pena máxima. No sé, el placer de caminar con su mano en mi mano, cerca de Ana Luisa que es tan hermosa con su cara tan bella y su cuerpo perfecto, valía todos los riesgos. Al fin Ana Luisa habló:

–Bueno, debo confesarte que tú también me gustas.

Quedé en silencio. Me detuve a mirarla.

–Pero hay un problema.

–¿Cuál?

–Eres como dos o tres años menor que yo. Voy a cumplir dieciséis.

–Qué importa.

–¿De verdad?

–Claro que no importa.

Se acercó a mí. La abracé. Nos besamos. Quisiera escribir todo lo que pasó después. Pero acaban de llegar mis hermanas. Sería fatal que leyeran esta libreta. Voy a guardarla en lo más hondo del ropero. Sólo apunto que me sentí feliz y todo salió mil veces mejor de lo que esperaba.


□ Noche a noche me he reunido con Ana Luisa en el malecón y nos hemos besado en la oscuridad. No he escrito por miedo de que alguien pueda leerlo. Pero si dejo de escribir no quedará nada de todo esto. Ni siquiera tengo una foto de Ana Luisa. Se niega a dármela, ya que si la encuentran mis hermanas...

□ Ayer tuve que interrumpirme porque mi padre entró en el cuarto y me preguntó:

–¿Qué estás escribiendo?

Le dije que era la tarea de historia de México y me creyó. Lo he visto muy nervioso: hay problemas en el sur del estado. Los campesinos no quieren desocupar las tierras en que se construirá la nueva presa del sistema hidroeléctrico. Los pueblos quedarán cubiertos por las aguas y sus habitantes van a perderlo todo. Si las cosas no se arreglan él tendrá que ir a hacerse cargo del desalojo. Hoy le habló de eso a mi mamá. Dijo que como el ejército salió del pueblo no debe disparar contra el pueblo. No sé mucho de mi padre, casi no hablamos, pero una vez me contó que era muy pobre y se metió a la revolución hace como mil años, cuando tenía más o menos mi edad.


□ Un día horrible. Ana Luisa se fue otra vez a Jalapa. Prometió escribirme a casa de la novia de Durán. Ando cada vez peor en la escuela. Pensar que en la primaria era uno de los mejores alumnos...


□ Durán me llevó a practicar en carretera. Manejé desde Mocambo hasta Boca del Río. Candelaria vino con nosotros. Aseguró que cuando regrese Ana Luisa logrará que la dejen salir *con ella*, y nos iremos a pasear los cuatro.

☐ Candelaria me habló por teléfono. Recibió carta de Ana Luisa y me la enviará con Durán. Me gustaría haber ido a recogerla. Era domingo, no hubo ningún pretexto para salir y tuve que pasar todo el día muerto de desesperación en la casa.


☐ *Querido Jórge perdonáme que no te alla escrito pero es que no e tenido tiempo pues han habido muchos problemas y no me dejan un minuto sola. Fijate que ora que llegamos mi tia le contó todo a mi papá de que salía yo sola contigo y nos abrasabamos y besavanos en el malecón y enfin quien sabe cuanta cosa le dijo.*

*Luego que mi tia se fué mi papá me llamo y me dijo lo que ella le abia dicho y yo le dige que no era cierto, que saliamos pero con tus hermanas. Bueno, no te creas que lo crelló.*

*Jórge los dias se me asen siglos sin verte, a cada rato pienso en tí, en las noches me acuésto pensando en tí, quiciera tenerte siempre junto a mi, pero ni modo que le vamos a ser.*

*Jórge apurate en tus clases haber si es posible que vengas a Jalapa porque lo que es yo a Veracruz quien sabe asta cuando valla.*

*Bueno querido Jórge, saludes a la Nena y a Marycarmen, a tu mamá y a tu papá tan bien y muy especialménte a Duran y a su nobia.*

*No vallas a mandarme cartas a esta direcsión, si quie-*

*res escribirme aslo a lista de correos Jalapa Veracruz a nombre de* LUISA BERROCAL, *me entregan la carta porque tengo una credencial con ese nombre.*

*Buéno, a Dios Jórge, recibe muchos besos de la que te quiere y no puede olbidar*

*Ana Luisa*

Una vez copiada la carta al pie de la letra (Ana Luisa habla bien: ¿por qué escribirá en esta forma? Debe de ser porque no lee), haré aquí mismo un borrador de contestación:

*Amor mío* (No.) *Querida Ana Luisa* (Tampoco: suena indiferente.) *Queridísima e inolvidable Ana Luisa* (Jamás: salió cursi). *Muy querida* (Mejor:) *Mi muy querida Ana Luisa* (Así está bien, creo yo):

*No te puedes imaginar la enorme alegría que me dio tu carta, la carta más esperada del mundo.* (Suena mal, pero en fin.) *Tampoco te imaginas cómo te extraño y cuánta necesidad tengo de verte. Ahora sé que de verdad te amo y estoy enamorado de ti. Sin embargo, debo decirte con toda sinceridad que hay tres cosas extrañas en tu carta:*

*Primera. Creí que la señora con la que vives era tu mamá, y resulta ser tu tía. (Por cierto, nunca me dijiste que tu papá estaba en Jalapa. Siempre temí que fuera a descubrirnos cuando yo te dejaba en la esquina de tu casa.)*

*Segunda. ¿Por qué no puedes regresar? ¿Por qué tienes que ir siempre a Jalapa? Todo esto me preocupa mucho. Te ruego aclararme las dudas.*

*Tercera. Envío esta carta a lista de correos y dirigida en la forma que me indicas; pero no entiendo cómo es que tienes una credencial con un nombre que no es el tuyo. ¿Verdad que me lo vas a explicar?*

*De por acá no te cuento nada porque todo es horrible sin ti. Regresa pronto. Te necesito. Te adoro. Te mando muchos besos con mi más sincero amor.*

*Jorge*

Bueno, el principio y el fin se parecen bastante a las cartas que le manda Gabriel a Maricarmen. (Las he leído sin que ella lo sepa.) Pero creo que en conjunto está más o menos aceptable. Voy a pasarla en limpio y a dársela a Durán para que mañana la ponga en el correo.

☐ De aquí a un año, ¿en dónde estaré? ¿Qué habrá pasado? ¿Y dentro de diez?

☐ Llegué a casa con la boca partida y chorreando sangre de la nariz. A pesar de todo gané el pleito. Al salir de la escuela me di de golpes con Óscar, el hermano de Adelina, esa gorda que habla mal hasta de su madre y es muy amiga de la Nena. Óscar dijo que me habían visto en el malecón en plan de noviecito con Ana Luisa y estaba haciendo el ridículo porque ella se acuesta con todo el mundo. No lo creo ni voy a permitir que nadie lo diga. Lo malo es que con el chisme de este imbécil y la carta de la propia Ana

Luisa ya son demasiados misterios y dudas. Tuve que mentir: dije que peleé porque criticaron a mi padre debido al asunto de la presa y de los pueblos que van a ser inundados.

□ Anegaron las tierras, concentraron a sus habitantes en no sé dónde y no tuvo que intervenir directamente mi padre. Sigo esperando respuesta de Ana Luisa. Fui al cine con Candelaria y Durán. Programa doble: *Sinfonía de París* y *Cantando bajo la lluvia.*

□ En la escuela nadie se me acerca. Después de lo que pasó con Óscar tienen miedo de hablarme o me están aplicando la ley del hielo. Hasta Pablo, que ya era casi mi mejor amigo, trata de que no nos vean juntos.

□ No pude más: les conté a Candelaria y Durán todos los misterios de Ana Luisa. Candelaria me dijo que no había querido mencionar el tema para no desilusionarme; si ahora estaba dispuesta a hacerlo era por amistad y para que supiese a qué atenerme. Jura no tener nada en contra de Ana Luisa pero no le gusta ver cómo engañan a la gente.

El motivo de los viajes a Jalapa es que su padre y su «tía», es decir, la madrastra, la señora que vive con él –pues la verdadera madre huyó con otro hombre cuando Ana Luisa estaba recién nacida–, tratan de casarla porque tuvo relaciones con un muchacho de allá. Por el tono en que Candelaria pronuncia la palabra se entiende qué clase de *relaciones*. No pueden hacer nada por la ley ni por la fuerza: él es sobrino de un ex gobernador, si se ponen en contra suya tienen perdida la pelea, no les queda sino la súplica. Fingí indiferencia ante Candelaria y Durán. Por dentro estoy que me lleva el demonio.

☐ *Muy querida Ana Luisa: ¿Recibiste mi carta? ¿Por qué no me contestas? Me urge verte y hablar contigo. Han pasado cosas muy extrañas. Te suplico que regreses lo más pronto posible o cuando menos que me escribas y me digas si hay un teléfono al que pueda llamarte. Envíame aunque sea una tarjeta postal. Te ruego hacerlo ahora mismo. No lo dejes para después. Te manda muchos besos, te extraña cada vez más y te quiere siempre*

*Jorge*

☐ Nunca debí haberle contado nada a Durán. Me trata de otra manera y se toma una serie de confianzas que no tenía antes. En fin...

☐ Tal parece que la cuestión de Ana Luisa me obliga a pelearme con medio mundo. Mis compañeros ya no me dicen nada aunque me siguen viendo como a un bicho raro. En la casa mis hermanas se burlan y sospecho que ya saben toda la historia. (Su amiga Adelina se divierte contando vida y milagros de Veracruz entero. Como a Adelina nadie le echa un lazo, su especialidad es llevar un registro de quién se acuesta con quién.)

Pero ¿qué estará pasando en Jalapa? ¿Por qué no me contesta Ana Luisa? ¿Será verdad lo que me dijo Candelaria? ¿Lo habrá inventado sólo por envidia? (Ana Luisa es más joven y más guapa que ella.)


□ En vez de estudiar trigonometría estaba leyendo *Las minas del rey Salomón* cuando sonó el teléfono. Era Ana Luisa que hoy volvió de Jalapa. Muy rápido me dijo:

–Gracias por escribirme. Me he acordado mucho de ti. Nos vemos mañana al salir del trabajo. Y ahora, para disimular, comunícame con la Nena.

Pasaré una tarde y una noche horribles. No resisto el deseo de verla.


□ ¿Por dónde empezar? Por el principio: Durán no quiso prestarme el coche porque si mi padre llegara a enterarse lo mandaría al paredón. Propuso que saliéramos los cuatro. Él y Candelaria irían a buscarme al colegio y Ana Luisa nos esperaría cerca de El Paraíso de las Telas. Candelaria le avisaría del plan. Así fue.

Ana Luisa estaba en la esquina de la tienda. No pareció molesta porque vinieran conmigo los otros dos. Saludó a Candelaria como si la conociese de mucho antes, subió al asiento de atrás, se puso a mi lado y, sin importarle que la vieran, me dio un beso.

–¿Adónde vamos? –preguntó–. Me dan permiso hasta las ocho.

–Por allí, a dar la vuelta –contestó Durán–. ¿Qué les parece Antón Lizardo?

–Muy lejos –respondió Ana Luisa.

–Sí, pero en otra parte pueden *verlos* –añadió Candelaria.

–Ay, tú, ni que fuéramos a hacer qué cosa –dijo Ana Luisa.

–Niña, por Dios, no tengas malos pensamientos –se apresuró a comentar Durán con voz de cine mexicano–. Es que si nos cachan en la movida chueca y le cuentan a mi general, el viejo me fusila por andar de encaminador de almas aquí con su muchachito.

Ellas se rieron, yo no. Me molestó el tono de Durán. Pero qué iba a contestarle si me hacía un favor y me hallaba en sus manos.

Durán salió a Independencia y se fue recto por Díaz Mirón hasta entrar en la carretera a Boca del Río y Alvarado. Cuando pasamos frente al cuartel de La Boticaria, Durán advirtió, mientras me observaba por el espejo:

–Agáchate, niño, no te vayan a descubrir porque entonces sí pau-pau.

Tuve que fingir una sonrisa pues enojarme hubiera sido ridículo. De todos modos sentí rabia de que

Durán me tratara como a un bebé para lucirse ante las muchachas.

Iba a medio metro de Ana Luisa, la miraba sin atreverme a abrir la boca. Después de haberle escrito cartas no sabía qué decirle ni cómo hablarle ante extraños. Durán, en cambio, manejaba a toda velocidad, llevaba casi incrustada en él a Candelaria y de vez en cuando se volvía hacia nosotros.

Ana Luisa me pareció muy divertida con el juego. Me sonreía pero tampoco hablaba. Hasta que al fin me dijo como para que la oyeran los demás:

–Ven, acércate: no muerdo.

No me gustaron sus palabras. Sin embargo aproveché la frase para deslizarme en el asiento, pasarle el brazo, tomarle la mano y besarla en la boca. Traté de hacerlo en silencio pero de todos modos hubo un chasquido. Durán gritó:

–Eso, niños, muy bien: así se hace.

Me pareció tan imbécil que sentí ganas de contestarle: «Tú no te metas, cabrón». Me aguanté: si peleaba con él lo echaría todo a perder y lo importante es que Ana Luisa y yo íbamos a estar, al menos relativamente, solos.

Serían como las seis y media de la tarde cuando dejamos atrás la Escuela Naval y entramos en la playa. Nos fuimos hasta mucho más lejos de donde los pescadores tienden sus redes y sus barcas. Bajamos del coche. Ellas dos se adelantaron a ver algo en la arena y se dijeron cosas que no escuché. Durán susurró entre dientes:

–Si no te la coges ahora es que de plano eres muy pendejo. Ésta ya anda más rota que la puta madre.

Durán nunca me había hablado así. No me pude aguantar y le contesté:

–Mejor te callas ¿no? A ti qué chingados te importa, carajo.

No respondió. Él y Candelaria se abrazaron y volvieron al Buick. Ana Luisa y yo, tomados de la mano, nos alejamos caminando por la orilla del mar. La brisa era tan fuerte que le alzaba la falda y pegaba la blusa de Ana Luisa contra sus senos. Nos sentamos en un tronco arrojado por la marea al pie de los médanos.

–Ana Luisa, quiero hacerte varias preguntas.

–No tengo ganas de hablar. Además, ¿no que ya te andaba por quedarte a solas conmigo? Bueno, aquí me tienes, aprovecha, no perdamos el tiempo.

–Sí, pero quisiera saber...

–Ay, hombre, seguramente ya te llegaron con chismes. No hagas caso. ¿O qué: no me quieres, no me tienes confianza?

–Te adoro –y la abracé y la besé en la boca. Tocó mi lengua con la suya, la estreché y empecé a acariciarla.

–Te amo, te amo, te amo. Me gustas mucho –me decía con un apasionamiento desconocido. Y sin saber cómo ya era de noche, ya estábamos rodando por la arena sin dejar de besarnos, le metía la mano por debajo de la blusa, le acariciaba las piernas y estuve a punto de quitarle la falda. (Si alguien ve este cuaderno se me arma el escándalo, pero debo escribir lo que pasó hoy.) De repente nos dio en los ojos una luz cegadora.

Pensé: es una broma de Durán. No: el Buick estaba muy lejos y seguía con los faros apagados. Era un autobús escolar que se acercaba por la playa. No tengo la menor idea de qué iban a hacer a esa hora las alumnas de la escuela de monjas. Tal vez a buscar erizos, conchas o algas para un experimento, quién sabe.

Ana Luisa y yo nos levantamos y, otra vez tomados de la mano, seguimos caminando por la orilla como si nada. El autobús se estacionó casi frente a nosotros. Bajaron muchas niñas de uniforme gris y dos monjas. Nos miraron con tal furia que tuvimos que refugiarnos en el coche, no sin antes sacudirnos la arena que nos había entrado hasta por las orejas. Candelaria se estaba peinando y Durán se metía la camisa en los pantalones.

—Malditas brujas, nos aguaron la fiesta —dijo.

—Vámonos a otro lado —propuse.

—No, ya es tardísimo. Mejor nos regresamos —contestó Ana Luisa.

—Sí, ya hay que volver. Imagínate si tu papá se entera de este desmadre —añadió Durán.

—¿Qué tiene?

—Nos pone una friega de perro bailarín y ya no podremos salir de nuevo los cuatro. —En otras palabras Durán quería decirme: «Y sin mi ayuda nunca volverás a estar a solas con Ana Luisa en un lugar apartado».

El cambio de Durán me sorprendió. Entendí mi

acierto al ponerle un alto. El regreso fue extraño: nadie hablaba. Pero yo tenía abrazada a Ana Luisa y la besaba y acariciaba por todas partes sin importarme ya que nos vieran. La dejamos a la vuelta de su casa. Se fue sin decirme cuándo nos volveríamos a ver.

Nos despedimos de Candelaria. Durán me llevó al baño de un restaurante. Me lavé la cara y me peiné, me puse pomada blanca en los labios hinchados y loción en el pelo. No sabía que Durán lleva siempre estas cosas en la cajuela.

Desde luego, al regresar hubo gran lío con mi mamá por la tardanza y por no haber llamado. (Mi padre está en México y no vuelve hasta el lunes.) Durán se portó bien. Dijo que me estaba enseñando a manejar en carretera y se nos ponchó una llanta. He escrito mucho y estoy cansadísimo. No puedo más.


□ A cambio de ayer hoy fue un día espantoso. Estuve ido en clase. Por la noche mi mamá dijo:

–Ya sé que andas con *esa* muchacha. Sólo te voy a hacer una advertencia: no te conviene.

Quisiera saber cómo se enteró.


□ Ana Luisa llamó. Tuve la suerte de contestar el teléfono. Sólo alcanzó a decirme que me esperaba en el malecón a las siete y media. Estuvo muy cariñosa y me rogó que no volviéramos a salir con Durán y Candelaria. Lo malo es que sólo así dispongo del Buick, que es el vehículo privado; el yip no puede manejarlo nadie que no sea del ejército. No me atreví a preguntarle acerca de lo que me dijo Candelaria. Pensaría que no le tengo confianza. Ana Luisa me contó que mis hermanas la saludaron muy fríamente. Es decir, ya se sabe todo en la casa... Por nada del mundo dejaré a Ana Luisa.

□ También hoy estuve hecho un idiota en clase. Voy cada vez peor hasta en las materias que antes dominaba. Cuando mi padre vea las calificaciones va a ser un desastre. No puedo estudiar ni concentrarme. Todo el tiempo estoy pensando en Ana Luisa y en cosas.

□ ¿Por qué será que Ana Luisa siempre me pregunta y en cambio se niega a contarme de ella y de su familia? Supongo que se avergüenza de su padre porque tiene un carro de esos con magnavoz y anda por los pueblos vendiendo remedios contra el paludismo y las lombrices, callicidas, tintura para las canas, veladoras antimosquitos, ratoneras y no sé cuántas porquerías. Su trabajo no tiene nada de malo. Más debería avergonzarme el que mi padre se haya ganado la vida derramando sangre.

Ana Luisa no quiere mucho al señor porque jamás está en casa, la ha hecho sufrir con varias madrastras y, como es hija única, la puso a trabajar desde muy chi-

197

ca. A ella le gustaría seguir estudiando. Es muy inteligente pero como sólo llegó a cuarto de primaria no lee sino historietas, se sabe de memoria el *Cancionero Picot,* escucha los novelones de la radio y adora las películas de Pedro Infante y Libertad Lamarque. Me he reído un poco de sus gustos. Hago mal pues qué culpa tiene ella si no le han enseñado otra cosa.

Cuando menos el otro día la defendí ante Adelina. Se burlaba de Ana Luisa porque fueron a ver *Ambiciones que matan* y no la entendió pues no le da tiempo de leer los letreros en español. (Ana Luisa me contó su versión de *Quo vadis?* y es como para ponerse a llorar.) Su falta de estudios resulta un problema. No obstante, puede remediarse y además veo en ella cualidades que la compensan. No tengo derecho a criticarla. Amo a Ana Luisa y lo demás no importa.


□ Un día horrible. Ana Luisa se fue otra vez a Jalapa. Sopló un norte, se inundaron las calles y el jardín de la casa. Me peleé con la Nena porque dijo:

–Oye, a ver si te buscas una novia decente y no sigues exhibiéndote con esa *tipa* que anda manoseándose con todos.

Por fortuna no estaba nadie más. La Nena, no lo dudo, va a contarle a mi mamá que la insulté y se burlará de mí con Maricarmen y Adelina porque dije que estaba orgulloso de Ana Luisa y la quería mucho. Bueno, ya confesé, ya nada tengo que ocultar.

☐ Este domingo amanecí tan triste que no encontré fuerzas para levantarme de la cama. Con el pretexto de que me dolían la cabeza y la garganta pasé horas pensando en qué hará Ana Luisa y cuándo regresará de Jalapa. Lo peor fue que mi mamá me untó el pecho con antiflogestina y por poco me vomito.

☐ Humillación total. El director me mandó llamar a su despacho. Dijo que mis calificaciones van para abajo en picada y mi conducta fuera de la escuela es ya escandalosa. Si no me corrijo de inmediato, hablará con mi padre y le recomendará que me interne en Hijos del Ejército, que es como una correccional. El maldito sapo capado me echó un sermón. Insistió en que no tengo edad para andar con mujeres que me van *a perder* y a volverme *un guiñapo*. La sexualidad es una maldición que lanzó Dios contra el género humano y la única manera de encauzarla es dentro del matrimonio, sentenció el muy hipócrita. ¿Pensará que nadie se entera de cuando para el ojo que le bizquea mirándoles las piernas a las muchachas?

Tuve que aguantar el manguerazo con la vista baja y diciéndole a todo como el auténtico pendejo que soy:

—Sí, señor director, tiene usted razón, señor director, le prometo que no se repetirá, señor director.

Para terminar la joda, me dio de palmaditas con su mano sebosa:

—Tú tienes buena madera, muchacho. Todos cometemos errores. Sé muy bien que pronto estarás de nuevo por el buen camino. Anda, vuelve a tu salón y no les cuentes nada a tus compañeros.

Así pues, ya el mundo entero sabe lo de Ana Luisa y todos, sin excepción, están en contra. Serían más compasivos si yo hubiera matado al tipo que vi muerto. Qué les importa lo que Ana Luisa y yo hagamos.

□ Todo sigue igual. Extraño a Ana Luisa. ¿Qué hará, cuándo volverá, por qué no me escribe?

□ Las cosas van de mal en peor. Comí en Boca del Río con toda mi familia y Yolanda, una amiga guapísima de mis hermanas. En un momento en que mis padres fueron a otra mesa, para saludar a don Adolfo Ruiz Cortines, el viejito que dentro de pocas semanas será presidente, ellas me echaron indirectas, dijeron que Gilberto —el hermano de Yolanda, un sangrón que es muy amigo de Pablo— anda toda la vida con sirvientas en vez de fijarse en las muchachas de la escuela.

—Las *gatas* han de tener su no sé qué —dijo Maricarmen mirándome a los ojos—. Porque te aseguro que Gilberto no es el único *gatero* que conocemos.

Sentí ganas de echarle a la cara la sopa hirviente. Por fortuna Yolanda cambió la conversación. Maricar-

200

men olvida que después de todo su Gabrielito es un pobre diablo aunque sea hijo de un gran industrial y tenga mucho dinero. Por lo que hace a la Nena, el único novio que ha pescado era un capitancillo de intendencia. Lo que pasa es que les gustaría enjaretarme a Adelina. Qué horror. Antes muerto que soportar a esa ballena.

□ Hace tres días que mi padre no se presenta en la casa. Mi mamá llora todo el tiempo. Le pregunté a Maricarmen qué pasaba. Me contestó:
–No te metas en donde no te llaman.

□ Regresó mi padre. Aseguró que había ido a Jalapa a tratar de asuntos militares con el futuro presidente. (Se teme que haya una rebelión pues algunos generales lo acusan de ser un traidor que colaboró con los norteamericanos cuando invadieron Veracruz en 1914. Según mi familia, es una calumnia porque Ruiz Cortines, aunque no sea brillante ni simpático al estilo de Miguel Alemán, es un hombre honrado. Cuando menos no parece un ladrón como los demás: lo único que le gusta es sentarse a jugar dominó en los portales. Otros aseguran que, por ser tan anciano, no llegará vivo al cambio de poderes. Tiene casi sesenta años, como el cura Hidalgo y Venustiano Carranza, las momias más vetustas de la historia de México.)
Si mi padre fue a arreglar cosas oficiales pudo ha-

ber llamado por teléfono, ¿no es cierto? Durán, quien desde luego lo acompañó como chofer, sabe toda la verdad pero no va a decirme una palabra. ¿Habrá visto Durán a Ana Luisa? Imposible, ni siquiera yo tengo su dirección en Jalapa.


☐ Me salvé de milagro. Estaba solo cuando llegó el cartero. Recogí la correspondencia. Un sobre sin remitente me dio mala espina. Aunque estaba dirigido a mi padre lo abrí, a riesgo de encontrar una carta normal. Mi presentimiento no falló: era un anónimo. En letras de *El Dictamen,* pegadas malamente con goma, decía:

UNO, DOS, TRES: PROBANDO, PROBANDO. LA SOCIEDAD VERACRUZANA, ESCANDALIZADA POR LA CONDUCTA DE USTED Y DE SU HIJO. SI ESTO HACE AHORA EL NIÑITO ¿QUÉ SERÁ CUANDO CREZCA? INTÉRNELO EN UN REFORMATORIO CUANTO ANTES, EVITE QUE LO SIGA DESGRACIANDO EL MAL EJEMPLO QUE LE DA USTED CON SU LIBERTINAJE Y SU SERVILISMO ANTE EL SUPERLADRÓN MIGUEL ALEMÁN Y EL TRAIDOR RUIZ CORTINES. AQUÍ TODOS SOMOS DECENTES Y TRABAJADORES. ¿POR QUÉ SIEMPRE NOS MANDAN DE MÉXICO GENTE DE SU CALAÑA? REPUDIAMOS A FAMILIAS CORRUPTAS COMO LA SUYA. DE TAL PALO TAL ASTILLA. VIGILAMOS. SEGUIREMOS INFORMANDO. LAS PAREDES OYEN. TODO SE SABE. NO HAY CRIMEN IMPUNE. QUIEN MAL ANDA MAL ACABA. ¿ENTERADO? CAMBIO Y FUERA.

Voy a quemarlo ahora mismo y a enterrar las cenizas en el jardín. Nunca había visto un anónimo de verdad. Creí que sólo existían en las películas mexicanas. No me imagino quién puede haberlo mandado ni por qué lo envió a la casa y no a la zona militar. No será ninguno de mis compañeros ni una amiga de mis hermanas. (Dicen que Adelina escribe anónimos pero no creo que se atreviera a hacerlo con mi padre.) Nadie que yo conozca tendría la paciencia de recortar letritas e irlas pegando horas y horas. Además allí se usan palabras no empleadas por la gente que me parecería sospechosa.

Me suena un poco al lenguaje del director, que además es radioaficionado; pero él qué tiene que andar hablando a nombre de la sociedad veracruzana si tampoco es de aquí. No, el director no se atrevería a meterse con mi padre: sabe que es capaz de darle un balazo. Y aunque lo aborrezco, el director no me parece tan bajo como para mandar un anónimo.


□ Le doy vueltas y vueltas y todavía no lo creo. A lo mejor me equivoqué y es una mala interpretación. Quién sabe. Resulta que fui a ver a Candelaria con la esperanza de que me tuviera carta de Ana Luisa. Nunca antes la había visto sin Durán. Como la farmacia estaba llena de clientes, me llamó a una esquina del mostrador, se puso insinuantísima y me dijo:

–Tú tomas muy en serio las cosas. Deberías divertirte, pasarla bien y no ser tan a la antigüita. ¿Cuándo quieres que echemos una buena conversada? Te voy a dar algunos consejos.

–Cuando quieras. Nos ponemos de acuerdo con Durán.

–No, no le digas nada. Ni siquiera le comentes que hablamos. Mejor nos vemos tú y yo solitos. ¿Qué te parece?

–Pues, este, digo, bueno, es decir... Tú eres su novia ¿verdad?

–Sí, pero no nacimos pegados. ¿Qué tiene de malo que tú y yo nos reunamos? Me caes muy bien ¿sabes? Durán no es mala gente pero es muy soldadote. En cambio tú eres finito, bien guapito, y no estás tan maleado.

–Oye, es que francamente no sé qué pensar. Me da pena.

–¿Pena? ¿Por qué pena? Mi hijito, recuerda que después de todo Durán es tu *ga-to,* tu *cria-do.* Además lo crees muy tu amigo pero no tienes la menor idea de lo que dice de ti y de tu familia; de que eres un niñito consentido y más bien tontito; de lo feas y resbalosas que son tus hermanas; de que tu papá no es un militar sino un tirano y un ladrón que hace negocio hasta con los frijoles de la tropa y un viejo verde que todo se lo gasta en muchachitas. Porque has de saber...

Candelaria iba a seguir diciendo horrores cuando el dueño de la farmacia le llamó la atención y le recordó que estaba prohibido conversar en horas de trabajo. Antes de que saliera alcanzó a pedirme:

–Llámame aquí o búscame en mi casa. Ya sabes dónde. No tengo teléfono.

¿Qué hago? ¿Le hablo o mejor no? No, para qué meterme en más líos. Y sobre todo no puedo traicionar a Ana Luisa ni tampoco a Durán.

□ *Muy querida Ana Luisa: ¿Cómo estás? ¿Por qué no me escribes? Te extraño mucho, me haces mucha falta. Regresa pronto. Necesito verte. Recibe muchos besos con todo mi amor*

Acababa de ponerle esto en una tarjeta postal (dentro de un sobre) cuando llegó Durán muy misterioso a darme una carta que Candelaria le había entregado por la mañana. Sospecho que ellos dos la abrieron poniéndola al vapor y después la pegaron con engrudo. No puedo ser tan desconfiado. La copio tal como está:

*Quérido Jórge pérdoname que te escriva poquito pero estoy cuidando a mi papá, derrepente se puso malo de un disjusto que tubo, gracias a Diós no es nada grabe, estará bueno pronto y enseguida vuelvo.*

*Jórge estoy muy triste sin ti, pienso que no vas acordarte de mi y te vas a fijar en otras muchachus que no te dén tanto problema como yo te e dado.*

*Pero mejor no lo agas porque yo te quiero muchísimo de*

*verda ni te imajinas cuanto y me muero de ganas de berte, ójala que muy pronto.*

*A Diós Jórge, resibe muchos besos y mi amor que es siempre tuyo y quiereme*

No sé qué pensar. Además ¿cómo sabe Ana Luisa que me ha dado problemas?


☐ Tenía que ser: ya le llegaron con el chisme a mi padre. ¿Quién habrá sido? La Nena jura que no fueron ni ella ni Maricarmen. Le creo porque cuando menos la Nena es sincera y siempre da la cara. Entonces ¿será alguien de la escuela? Imposible: temblarían en presencia del general.

Estuvo mucho más duro que la entrevista con el director. Dijo que mientras él me mantenga mi obligación es estudiar y obedecer. Cuando trabaje y gane mi dinero podré tener miles de mujeres, aunque es el peor camino, me lo dice por experiencia (caramba). Supone que gran parte de culpa la tiene mi afición excesiva por los libros. En vez de leer tanto y encontrar el mal ejemplo en las novelas de amor y de aventuras debería hacer más deporte y sobresalir en los estudios. Cuando nací su ilusión era verme convertido en cadete del Heroico Colegio Militar. Lo he decepcionado por completo y es muy doloroso para él.

Mi papá será muy general y toda la cosa pero no entiende cómo anda el asunto: me informó que, de ahora en adelante y hasta nueva orden, no podré ir a ningún lado si no me acompaña y me vigila Durán (!).

☐ Hace rato, cuando me había escapado por la azotea para rondar, como todas las noches, la casa de Ana Luisa, la vi bajarse de un Packard último modelo (¿no conozco ese Packard?) junto con su madrastra. Ellas no me vieron, alcancé a esconderme tras la esquina. Me intriga saber quién será el viejo como de unos cuarenta años que las vino a dejar. Las ayudó con las maletas y al despedirse Ana Luisa le dio un beso. A pesar de todo ese hombre no entró en la casa.

Me desespera no poder hablar con ella. Ojalá mañana me mande algún recado con Candelaria. Quisiera ir a buscarla o cuando menos hablarle por teléfono a El Paraíso de las Telas pero ella me lo ha prohibido: dice que la regañan y le descuentan de su sueldo.

Aquí hay otra cosa rara: si el dueño de la tienda es tan estricto ¿por qué la deja faltar tanto y no la sustituye por otra empleada? No he conocido a nadie tan misteriosa como Ana Luisa.

☐ Lo que menos esperaba: Ana Luisa fue a la farmacia y le dio a Candelaria un sobrecito color de rosa para que me lo entregase Durán:

*Quérido Jórge resibí tu targeta, gracias. Espero que lo que voy a decirte no te duela en el alma como ami. Miamor, me dá mucha tristesa pero no quéda mas remedio pues creo ques lo mejor para los dós.*

*Resulta Jórge que ya no bamos a seguirnos viendo como astaora, se que me entenderas y no me pediras esplicasiones pues tan poco podria dartélas.*

*Jórge siempre e sido sinsera contigo y te e querido mucho nunca sabrás cuanto deveras, me sera muy difisil olbidarte, ójala no sufras como estoi sufriendo y te olbides pronto de mi.*

*Te mando un ultímo beso con amor*


Me quedé helado. Luego me encerré en mi cuarto y me puse a llorar como si tuviera dos años. Ahora trato de calmarme y hago un esfuerzo por escribir aquí. No puedo creerlo, no soporto la idea de que nunca más volveré a ver a Ana Luisa. Es terrible, es horrible. No sé, no sé. No entiendo nada.


☐ Pasé una noche infernal. Durán me llevó en el yip a la escuela y no hablamos, aunque estoy seguro de que él ya sabe y hasta vio la cartita que estaba en un sobre sin pegar: Candelaria no tuvo la buena educación de cerrarlo.

Al salir pasé por donde trabaja o trabajaba Ana Luisa. Vi a sus amigas pero a ella no. Me acerqué, me miraron con lástima y me dijeron que no ha vuelto a la tienda ni creen que regrese. Sentí el impulso de presentarme en su casa pero no tengo ningún pretexto. No me importa que sea humillante, quisiera verla cuando menos una última vez.

Por cierto: un Packard idéntico al de la otra noche se hallaba estacionado frente a El Paraíso de las Telas. Bueno, el coche en que iba Ana Luisa no es el único Packard que hay en el mundo. Puede ser una casualidad. Me voy a volver loco si sospecho de todo lo que veo.


□ Mi madre entró sin avisar y me encontró llorando (a mi edad). Hizo preguntas y le conté la versión rosa de la historia. En vez de regañarme, dijo que no me preocupara: ella sabía que yo andaba con Ana Luisa y lo permitió sólo para que me sirviera de amarga experiencia. Esto les ha pasado y les pasará a todos; no debo darle importancia ni sufrir por alguien que no vale la pena; la adolescencia es la etapa más feliz de la vida y, aparte de estudiar, mis únicas preocupaciones deben ser divertirme y hacer amistades útiles para mi porvenir. Muy pronto habré crecido y encontraré una muchacha de mi clase, digna de ser mi novia y que no tenga mala fama como Ana Luisa.

Ahora ya ni siquiera protesté como antes. No hice el menor intento de defenderla. Pobre Ana Luisa. Todos quieren hacerle daño. En realidad nunca supe nada de ella. No creo poder enamorarme de otra... ¿Y si todo cambiara de repente y Ana Luisa viniera a decirme que reconsideró y está arrepentida de haberme dejado? No, es una imbecilidad; esto no va a ocurrir, de qué sirve hacerme ilusiones.

☐ Días, semanas sin escribir nada en este cuaderno. Para qué, no tiene objeto. Si alguien lo ve se burlará de mí.

☐ Tuve un sueño muy triste. Estábamos en la ciudad de México. Ana Luisa se iba y no volvería nunca. Para vernos por última vez me citaba en La Bella Italia, una nevería que no conoce pues nunca ha estado en la capital. La cita era a la una. Yo tomaba un tranvía que se paraba por falta de electricidad. Entonces me iba corriendo por una avenida que tenía en medio árboles –¿Amsterdam, Mazatlán, Álvaro Obregón?–. El dolor de piernas me obligaba a sentarme en una banca. En ese instante aparecía la Nena del brazo de Durán.

–Vamos a casarnos en la iglesia –me decía–. Y tú, niño, ¿adónde te diriges tan apresurado? No me digas que Ana Luisa te está esperando en el malecón.

–No, cómo crees: voy a un partido de futbol –contestaba. La Nena y Durán me hacían conversación. Me desesperaba el no poder zafarme y continuar mi camino hacia La Bella Italia. Hasta que al fin seguía corriendo y me cruzaba con un entierro. Encontraba a una señora vestida de luto. Era mi madre:

–Van a enterrar al que te dio la vida y tú, en vez de ir a llorarlo en el cementerio, corres al encuentro de una mujerzuela.

Le pedía perdón y reanudaba mi carrera. Al llegar

a La Bella Italia eran las tres en punto y ya no estaba Ana Luisa. Aparecía Candelaria con delantal, sirviendo las mesas:

—Ana Luisa te esperó mucho tiempo. Tuvo que irse para siempre y no dejó dicho adónde...

□ Dos meses sin verla, seis semanas desde que recibí su última carta. En vez de olvidarla siento que la quiero más. No importa que sea cursi el decirlo.

□ Le hice unos versos, tan malos que preferí romperlos. ¿Qué hará, dónde estará y con quién? Todas las noches rondo su casa. La encuentro siempre cerrada y a oscuras. ¿Habrá vuelto a Jalapa o estará en México?

□ Lo más triste de todo es que ya me estoy resignando. Pienso que tarde o temprano lo de Ana Luisa tenía que acabarse pues a mi edad no iba a casarme con ella ni nada por el estilo. Además todo parece en calma desde que no nos vemos. En la escuela ya me hablan, en la casa me tratan bien, puedo estudiar, leo muchísimo y —al menos que yo sepa— no ha llegado otro anónimo. Pero no me importaría que todo fuera como antes, o aun peor, con tal de volver a estar cerca de Ana Luisa.

☐ Me preocupa Ana Luisa. Me duele no poder ayudarla. Supongo que le está yendo muy mal y su vida va a ser horrible sin que ella tenga culpa alguna. Aunque si lo pienso bien y me fijo en la gente que conozco o de quien sé algo, la vida de todo el mundo siempre es horrible.

☐ Mil años después llegaron las cosas que habíamos dejado en México, entre ellas el baúl en que mi madre guarda las fotos. En vez de estudiar o de leer me pasé horas contemplándolas. Me cuesta trabajo reconocerme en el niño que aparece en los retratos de hace ya mucho tiempo. Un día seré tan viejo como mis padres y entonces todo esto que he vivido, toda la historia de Ana Luisa, parecerá increíble y más triste que ahora. No entiendo por qué la vida es como es. Tampoco alcanzo a imaginar cómo podría ser de otra manera.

☐ Escribo a las doce y media. No fui a clases. Mis padres cumplen hoy veinticinco años de matrimonio. Vendrán a comer el gobernador, el comandante de la región militar que está por encima de la zona a cargo de mi padre, el presidente municipal, el capitán del puerto, algunos senadores, diputados y líderes obreros, el jefe de la policía, el representante del PRI, el administrador de la aduana y no sé cuántos más.

En vez de que Eusebia la preparase como todos los días, un cocinero del Prendes vino a hacer la comida. No voy a probar nada. No volveré a comer nunca. Soy tan imbécil que a mi edad no había relacionado los llamados placeres de la mesa con la muerte y el sufrimiento que los hacen posibles.

Vi a los ayudantes del cocinero matando a los animales y quedé horrorizado. Lo más espantoso es lo que hacen con las tortugas o quizá el fin de las pobres langostas que patalean desesperadas en la olla de agua hirviendo. No quiero imaginarme lo que serán los rastros. Uno debería comer nada más pan, verduras, cereales y frutas. Pero ¿de verdad no sentirán nada las plantas cuando uno las arranca, las corta, las cuece, las muerde y las mastica?

☐ ¿He dicho que me encanta Yolanda? Es tan guapa como Ana Luisa o quizá más hermosa todavía. Jamás he hablado a solas con Yolanda pero hoy me entristecí (como idiota) porque tampoco volveré a verla. Vino a despedirse de Maricarmen y de la Nena: se va a estudiar a Suiza. A su hermano Gilberto lo mandan a la Culver Military Academy en Indiana. Su padre se hizo multimillonario en el régimen que está por acabar. A muchos que conocemos les pasó lo mismo. Si en México la mayoría de la gente es tan pobre ¿de dónde sacarán, cómo le harán algunos para robar en tales cantidades?

Yolanda nos contó que la semana pasada Adelina

213

intentó suicidarse porque eligieron reina del próximo carnaval a Leticia, su peor enemiga. Adelina metió la cabeza en el horno de la estufa y abrió la llave del gas sin encender el fuego. Cuando empezó a sentirse mal, salió corriendo y antes de desmayarse vomitó por toda la sala.

En su nota de suicida Adelina no culpaba a su envidia por Leticia sino a la forma en que la tratan su madre y su hermano. El capitán abofeteó a la señora y le dio una golpiza feroz a Óscar. Pobre capitán. Cuánto quiere a Adelina. No se da cuenta de que su hija es un monstruo de maldad.

La Nena, Maricarmen y yo nos moríamos de risa mientras Yolanda narraba y actuaba la tragedia de la gorda. Luego sentí remordimientos: soy tan canalla como Adelina. No está bien alegrarse del mal ajeno, por mucho que deteste a Óscar y a su hermana y aunque estoy casi seguro de que Adelina mandó el anónimo, bien calculado para que se lo achacáramos al director.


□ No entiendo cómo es uno. El otro día sentí piedad al ver a los animales asesinados en el patio trasero de mi casa y hoy me divertí pisando cangrejos en la playa. No los enormes de las rocas sino los pequeños y grises de la arena. Corrían en busca de su cueva y yo los aplastaba con furia y a la vez divertido. Pienso que en cierta forma todos somos cangrejos: cuando menos se espera alguien o algo viene a aplastarnos.

☐ Como no he vuelto a salir con Candelaria y Durán ignoraba si seguían viéndose. Durán y yo casi no hablamos. Siento que he traicionado a alguien que –excepto la vez de Antón Lizardo– se portó bien conmigo. Él debe de saber algo de la conversación en la farmacia pues tampoco ha hecho el menor intento para que volvamos a ir a nadar o a práctica de manejo.

En fin, digo todo esto porque hoy me encontré a Candelaria en el tranvía. Para hablar de Ana Luisa se me ocurrió invitarla a tomar un refresco en el Yucatán. En cuanto nos sentamos Candelaria me preguntó por ella.

–¿De verdad no lo sabes? –le contesté–. Pues me cortó, me mandó a volar.

–No me digas. No te puedo creer.

–Pero si me dejó contigo su última carta.

–No la leí, soy muy discreta... Qué tonta, qué bruta, qué pendeja: cuándo se va a encontrar a alguien como tú.

–No te creas, yo quién soy.

–Tú eres tú y ya te dije lo que me pareces.

Silencio. Enrojezco. Tomo un trago de agua de tamarindo. Candelaria me observa irónica, se divierte al ponerme en aprietos.

–Te voy a decir una cosa, Jorge. Óyelo bien: tu error fue tratar a Ana Luisa como a una muchacha decente y no como lo que es. Te lo digo con todas sus letras: una putita que se acuesta con viejos repugnantes para sacarles dinero. La culpa es del borracho de su padre, un huevón al que no le gusta trabajar, y de la madrota que vive de conseguirle clientes a tu noviecita.

–Oye, Ana Luisa no te ha hecho nada; no tienes por qué hablar así de ella.

–Ah, mira nomás: todavía la defiendes después de que te usa como su trapeador y te pone los cuernos con medio Veracruz. Ay, mi hijito, qué bueno o qué imbécil eres. Ojalá todos fueran como tú. Por eso me gustas, por eso... Pero te niegas a hacerme caso.

–Es que... No sé en realidad... No, mejor deja que pasen los exámenes: tengo mucho que estudiar y estoy muy atrasado. Apenas salga de todo esto te llamo.

–¿En serio no te gustaría que nos fuéramos por ahí?

–Candelaria, claro que me encantaría. Ya llegará el momento. Vas a ver.

–¿Y por qué no ahora mismo?

–Te juro que mis papás me esperan a comer en el café de La Parroquia. Además tú tienes que regresar a la farmacia.

–Por mí no te preocupes. Yo me arreglo. Yo sé mi cuento.

–Mejor nos vemos la semana entrante, ¿sí? Pero, te lo ruego, no le vayas a decir nada a Durán.

–Cálmate, tu pinche *sardo* no va a saber ni jota. Además ya estoy harta de ese chilango de mierda. No sé cómo quitármelo de encima. Es una auténtica lata y ni que fuera la gran maravilla. Puro hablador, eso es lo que es.

216

Antes de que otra cosa sucediera pagué la cuenta, insistí en que mis padres me esperaban en La Parroquia (mentira) y le juré a Candelaria que iría a buscarla a su casa. En vez de alegrarme la conversación me entristeció. Qué injusto es todo: la que amo me rechaza y repudio a la que me quiere. Tal vez me engaño al suponer esto. ¿Será verdad que le gusto a Candelaria? ¿O nada más pretende utilizarme para fregar a Durán? Desde luego lo que dice de Ana Luisa es una calumnia, una absoluta y total mentira. ¿Por qué todos se ensañarán con ella en esta forma?

□ Llevo semanas sin escribir nada. Ahora voy a desquitarme por los días que dejé en blanco. Me acaban de pasar cosas terribles. Será mejor contarlas más o menos en orden. Como mañana es aniversario de la revolución, no hay clases y mis calificaciones han mejorado, pedí permiso para ir a la lucha libre. Me dejaron, siempre y cuando me acompañara Durán. Esto me salvó, quién lo iba a decir.

En el cine Díaz Mirón, improvisado como arena de combate, alcanzamos a comprar en reventa boletos de quinta fila. Las preliminares fueron aburridísimas, con luchadores desconocidos. En la estelar se enfrentaron Bill Montenegro –mi ídolo cuando en México veía las luchas por televisión– y El Verdugo Rojo, al que más detesto entre todos los villanos.

Bill dominó a lo largo de la primera caída, a pesar de que el réferi estaba en contra suya. La ganó con unas patadas voladoras perfectas y una doble Nelson. En la segunda el Verdugo empleó a fondo sus marrullerías y medio mató a Montenegro. Ya para la tercera y última caída todo el público estaba en contra del rudo, excepto Durán que, según creo, tomó esta actitud sólo para molestarme.

Montenegro cayó fuera del cuadrilátero y se golpeó la cabeza contra una silla de *ringside*. El Verdugo lo tomó de los cabellos para subirlo a la lona, lo sujetó en un candado, lo estrelló contra los postes y le abrió una herida en la frente. Bañado en sangre, Bill reaccionó: con unas tijeras voladoras se vengó de su rival y lo arrojó a su vez de las cuerdas. Cambiaron golpes en el pasillo muy cerca de mí. El árbitro los obligó a regresar cuando ya los espectadores intervenían en defensa de Montenegro.

La vuelta al ring fue el desastre para Bill. El enmascarado lo hizo chocar de nuevo contra los postes para ahondarle la herida. Yo estaba furioso al verlo sangrar. Como el réferi no hacía ningún caso de los gritos, arrojé un elote que me estaba comiendo y le di en la cabeza al Verdugo Rojo.

Me aplaudió la gente que se dio cuenta. Pero el villano tomó el elote y le picó los ojos a Bill con tanta furia que de milagro no lo dejó ciego. Entonces me insultaron los mismos que me habían celebrado. Todo empeoró cuando con una quebradora el Verdugo puso fuera de combate a Montenegro.

Llovieron almohadas y vasos de cartón contra el malvado. Condujeron a Bill hacia la enfermería y hubo el rumor de que estaba agonizante. En ese momento unos tipos con facha de estibadores se acercaron a pegarme gritando que yo, un maldito chilango, era el cómplice del Verdugo y el responsable de la muerte del héroe. Serían unos diez o doce y parecían dispuestos al linchamiento. De pronto Durán saltó para cubrirme, sacó la pistola, cortó cartucho y gritó:

–Lo que quieran con él, conmigo, hijos de la chingada.

Quién sabe qué hubiera ocurrido si los policías no se abren paso en medio del tumulto y nos salvan. Intentaron llevarnos a la cárcel pero Durán se identificó, explicó la situación, dijo quién era yo, o mejor dicho quién era mi padre. Y salimos entre gritos y miradas de odio, custodiados por los gendarmes.

Al subirnos al yip bajo los insultos del público, Durán les dio cincuenta pesos a los policías y aclaró:

–Luego me los pagas. El caso es que el jefe no se entere del desmadre que armaste.

En el camino me dijo que era una soberana pendejada lo que yo acababa de hacer: primero está uno y nunca hay que tomar partido por nadie. No le contesté porque apenas comenzaba a sentir el susto. Qué noche.


□ Escribo por última vez en este cuaderno. No tiene objeto conservar puros desastres. Pero lo guardaré para leerlo dentro de muchos años. Tal vez entonces pueda reírme de todo lo que ha pasado. Lo de hoy me pareció increíble y me dolió mucho. Siento como una especie de anestesia y veo las cosas como si estuvieran detrás de un vidrio.

Yo solo, cuándo no, fui a buscar la catástrofe. No hubo clases porque hoy tomó posesión Ruiz Cortines. No sé cómo ni por qué se me ocurrió ir a Mocambo. Sin nadie, pues no tengo amigos en la escuela, mi padre se fue en avión a México para estar presente en el cambio de gobierno y le prestó el yip a Durán, que hoy tuvo su día libre. No pude conseguir el Buick porque mi mamá, la Nena y Maricarmen presidieron en Tlacotalpan un festival para los niños pobres.

Subí al camión en Villa del Mar y me tocó del lado del sol. Aunque es diciembre hacía mucho calor. Al bajarme fui a tomar un refresco en un puesto de la playa. Me senté, pedí una coca cola con nieve de limón y me puse a terminar *La hora veinticinco*. (Cuando voy solo a alguna parte siempre llevo libros o revistas.)

Estaba absorto en la lectura. No puse atención al escándalo que hacían dos hombres sentados a la mesa de atrás. Habían bebido como diez cubalibres y entre un cerro de conchas de ostión hablaban de mujeres y se gritaban cosas de borracho abrazándose. Al volver la vista quedé paralizado: eran Bill Montenegro y El Verdugo Rojo –sin máscara pero lo reconocí por su estatura. ¿De modo que también la lucha libre es mentira y los enemigos mortales del ring son como hermanos en la vida privada?

No se molestaron en mirar al idiota que estuvo a

punto de ser linchado por culpa suya. Me dieron ganas de reclamarle a Montenegro –que no tenía nada en los ojos ni herida alguna en la frente. Ya estaban para caerse de ebriedad y me hubieran matado si los insulto.

Me levanté dispuesto a no ver jamás otra función de lucha libre y no comprar ya nunca publicaciones deportivas. Faltaba lo mejor todavía. Antes de meterme al agua fui a dejar mi ropa y mi libro entre las casuarinas sembradas en los médanos. Estaba a punto de quitarme los pantalones cuando vi que se acercaban, en traje de baño y tomados de la mano, Ana Luisa y Durán.

Siguieron adelante sin verme. Ana Luisa se tendió en la arena cerca de la orilla. A la vista de todo el mundo, como si quisieran exhibirse, Durán se arrodilló a untarle bronceador en la espalda y en las piernas. Aprovechó el viaje para besarla en el cuello y en la boca.

Yo temblaba sin poder dar un paso. No creía en lo que estaba viendo. Era el final de una pesadilla o de una mala película. Porque en la tierra no pasan tantas cosas o al menos no suceden al mismo tiempo. Era demasiado y a la vez era cierto. Allí, a unos metros de las casuarinas que me ocultaban, Ana Luisa en bikini se cachondeaba con Durán en presencia de todos; atrás, en el puesto, Bill Montenegro y el Verdugo Rojo se morían de risa por los cretinos que los mantienen y toman en serio la lucha libre.

Debía irme cuanto antes. Si no, al susto y a la decepción se iba a unir el ridículo. Irme: ¿qué otra cosa podía hacer? ¿Pelearme con Durán sabiendo que me acabaría en un dos por tres? Reclamarle a Ana Luisa era imposible: me dijo con toda claridad que ya no quería nada conmigo. ¿Cómo sentirme traicionado por ella, por Durán, por Montenegro? Ana Luisa no me pidió que me enamorara ni Montenegro que lo «defendiera» del Verdugo Rojo. Nadie tiene la culpa de que yo ignorara que todo es una farsa y un teatrito. Me estremeció pensar que pudiera ser cierto lo que me contó Candelaria. De todas formas Ana Luisa fue honrada conmigo al apartarse.

Me decía todo esto en mi interior para darme ánimos. Porque nunca en mi vida me sentí tan mal, tan humillado, tan cobarde, tan estúpido. Pensé en una venganza inmediata. Con mis últimos pesos tomé un taxi para ir a ver a Candelaria.

Toqué a la puerta de su casa, a mano limpia porque no hay timbre. Nadie salía. Ya me iba cuando se abrió un postigo y vi la cabeza de un bigotón malencarado, sudoroso, en camiseta, con el pelo revuelto. El tipo es el padrastro de Candelaria pero desde luego estaba con ella en otras funciones. Me echó una mirada de odio y me gritó de la peor manera:

–¿Qué se le ofrece, jovencito?

Y yo de imbécil todavía le pregunté:

–Perdone... ¿está Candelaria?

–No, no está ni va a estar. ¿Pa'qué la quiere?

–Ah, no, para nada.. Disculpe usted... Es decir, sí.. Mire, le traía un recado de Durán... de su novio. Bueno, gracias... No se preocupe: la veo mañana en la farmacia.

El bigotón cerró furioso el postigo y toda la puerta se estremeció. Qué metida de pata mi supuesta venganza. Pensé que si hoy seguía en la calle me iba a aplastar un aerolito, ahogarme un maremoto o cualquier cosa así.

Vine a pie hasta la casa, con ganas de llorar pero aguantándome, con deseos de mandarlo todo a la chingada. Y sin embargo dispuesto a escribirlo y a guardarlo a ver si un día me llega a parecer cómico lo que ahora veo tan trágico... Pero quién sabe. Si, en opinión de mi mamá, esta que vivo es «la etapa más feliz de la vida», cómo estarán las otras, carajo.

La zarpa

A Fernando Burgos

Padre, las cosas que habrá oído en el confesionario y aquí en la sacristía... Usted es joven, es hombre. Le será difícil entenderme. No sabe cuánto me apena quitarle tiempo con mis problemas, pero ¿a quién si no a usted puedo confiarme? De verdad no sé cómo empezar. Es pecado alegrarse del mal ajeno. Todos lo cometemos ¿no es cierto? Fíjese usted cuando hay un accidente, un crimen, un incendio. Qué alegría sienten los demás porque no fue para ellos al menos una entre tantas desgracias de este mundo.

Usted no es de aquí, padre, no conoció México cuando era una ciudad pequeña, preciosa, muy cómoda, no la monstruosidad que padecemos ahora en 1971. Entonces nacíamos y moríamos en el mismo sitio sin cambiarnos nunca de barrio. Éramos de San Rafael, de Santa María, de la colonia Roma. Nada volverá a ser igual... Perdone, estoy divagando. No tengo a nadie con quién hablar y cuando me suelto... Ay, padre, qué vergüenza, si supiera, jamás me había atrevido a contarle esto a nadie, ni a usted. Pero ya estoy aquí. Después me sentiré más tranquila.

Mire, Rosalba y yo nacimos en edificios de la misma calle, con apenas tres meses de diferencia. Nuestras madres eran muy amigas. Nos llevaban juntas a la Alameda y a Chapultepec. Juntas nos enseñaron a hablar y a caminar. Desde que entramos en la escuela de párvulos, Rosalba fue la más linda, la más graciosa, la más inteligente. Le caía bien a todos, era amable con todos. En primaria y secundaria lo mismo: la mejor alumna, la que portaba la bandera en las ceremonias, bailaba, actuaba o recitaba en los festivales. «No me cuesta trabajo estudiar», decía. «Me basta oír algo para aprendérmelo de memoria.»

Ay, padre, ¿por qué las cosas están mal repartidas? ¿Por qué a Rosalba le tocó lo bueno y a mí lo malo? Fea, gorda, bruta, antipática, grosera, díscola, malgeniosa. En fin... Ya se imaginará lo que nos pasó al llegar a la preparatoria cuando pocas mujeres alcanzaban esos niveles. Todos querían ser novios de Rosalba. A mí que me comieran los perros: nadie se iba a fijar en la amiga fea de la muchacha guapa.

En un periodiquito estudiantil publicaron: «Dicen las malas lenguas que Rosalba anda por todas partes con Zenobia para que el contraste haga resplandecer aún más su belleza única, extraordinaria, incomparable». Desde luego la nota no estaba firmada. Pero sé quién la escribió. No lo perdono aunque haya pasado más de medio siglo y hoy sea muy importante.

Qué injusticia, ¿no cree? Nadie escoge su cara. Si

alguien nace fea por fuera la gente se las arregla para que también se vaya haciendo horrible por dentro. A los quince años, padre, ya estaba amargada. Odiaba a mi mejor amiga y no podía demostrarlo porque ella era siempre buena, amable, cariñosa conmigo. Cuando me quejaba de mi aspecto me decía: «Qué tonta eres. Cómo puedes creerte fea con esos ojos y esa sonrisa tan bonita que tienes». Era sólo la juventud, sin duda. A esa edad no hay quien no tenga su gracia.

Mi madre se había dado cuenta del problema. Para consolarme hablaba de cuánto sufren las mujeres hermosas y qué fácilmente se pierden. Yo quería estudiar Derecho, ser abogada, aunque entonces daba risa que una mujer anduviera en trabajos de hombre. Habíamos pasado juntas toda la vida y no me animé a entrar en la universidad sin Rosalba.

Aún no terminábamos la preparatoria cuando ella se casó con un muchacho bien que la había conocido en una kermés. Se la llevó a vivir al Paseo de la Reforma en una casa elegantísima que demolieron hace mucho tiempo. Desde luego me invitó a la boda pero no fui. «Rosalba, ¿qué me pongo? Los invitados de tu esposo van a pensar que llevaste a tu criada.»

Tanta ilusión que tuve y desde los dieciocho años me vi obligada a trabajar, primero en El Palacio de Hierro y luego de secretaria en Hacienda y Crédito Público. Me quedé arrumbada en el departamento donde nací, en las calles de Pino. Santa María perdió su esplendor de comienzos de siglo y se vino abajo. Para entonces mi madre ya había muerto en medio de sufrimientos terribles, mi padre estaba ciego por sus vicios de juventud, mi hermano era un borracho que tocaba la guitarra, hacía canciones y ambicionaba la gloria y la fortuna de Agustín Lara. Pobre de mi hermano: toda la vida quiso hacerse digno de Rosalba y murió asesinado en un tugurio de Nonoalco.

Pasamos mucho tiempo sin vernos. Un día Rosalba llegó a la sección de ropa íntima, me saludó como si nada y me presentó a su nuevo esposo, un extranjero que apenas entendía el español. Ay, padre, aunque no lo crea, Rosalba estaba más linda y elegante que nunca, en plenitud, como suele decirse. Me sentí tan mal que me hubiera gustado verla caer muerta a mis pies. Y lo peor, lo más doloroso, era que ella, con toda su fortuna y su hermosura, seguía tan amable, tan sencilla de trato como siempre.

Prometí visitarla en su nueva casa de Las Lomas. No lo hice jamás. Por las noches rogaba a Dios no volver a encontrármela. Me decía a mí misma: Rosalba nunca viene a El Palacio de Hierro, compra su ropa en Estados Unidos, no tengo teléfono, no hay ninguna posibilidad de que otra vez nos reunamos.

A esas alturas casi todas nuestras amigas se habían alejado de Santa María. Las que seguían allí estaban gordas, llenas de hijos, con maridos que les gritaban y les pegaban y se iban de juerga con mujeres de ésas. Para vivir en esa forma mejor no casarse. No me casé aunque oportunidades no me faltaron. Por más amolados que estemos siempre viene alguien a nuestra espalda recogiendo lo que tiramos a la basura.

Se fueron los años. Sería época de Ávila Camacho o Alemán cuando una tarde en que esperaba el tranvía bajo la lluvia la descubrí en su gran Cadillac, con chofer de uniforme y toda la cosa. El automóvil se detuvo ante un semáforo. Rosalba me identificó entre la gente y se ofreció a llevarme. Se había casado por cuarta o quinta vez, aunque parezca increíble. A pesar de tanto tiempo, gracias a sus esmeros, seguía siendo la misma: su cara fresca de muchacha, su cuerpo esbelto, sus ojos verdes, su pelo castaño, sus dientes perfectos...

Me reclamó que no la buscara, aunque ella me mandaba cada año tarjetas de Navidad. Me dijo que el próximo domingo el chofer iría a recogerme para que cenáramos en su casa. Cuando llegamos, por cortesía la invité a pasar. Y aceptó, padre, imagínese: aceptó. Ya se figurará la pena que me dio mostrarle el departamento a ella que vivía entre tantos lujos y comodidades. Aunque limpio y arreglado, aquello era el mismo cuchitril que conoció Rosalba cuando andaba también de pobretona. Todo tan viejo y miserable que por poco me suelto a llorar de rabia y de vergüenza.

Rosalba se entristeció. Nunca antes había regresado a sus orígenes. Hicimos recuerdos de aquellas épocas. De repente se puso a contarme qué infeliz se sentía. Por eso, padre, y fíjese en quién se lo dice, no debemos sentir envidia: nadie se escapa, la vida es igual de terrible con todos. La tragedia de Rosalba era no tener hijos. Los hombres la ilusionaban un momento. Enseguida, decepcionada, aceptaba a algún otro de los muchos que la pretendían. Pobre Rosalba, nunca la dejaron en paz, lo mismo en Santa María que en la preparatoria o en esos lugares tan ricos y elegantes que conoció más tarde.

Se quedó poco tiempo. Iba a una fiesta y tenía que arreglarse. El domingo se presentó el chofer. Estuvo toca y toca el timbre. Lo espié por la ventana y no le abrí. Qué iba a hacer yo, la fea, la gorda, la quedada, la solterona, la empleadilla, en ese ambiente de riqueza. Para qué exponerme a ser comparada de nuevo con Rosalba. No seré nadie pero tengo mi orgullo.

Ese encuentro se me grabó en el alma. Si iba al cine o me sentaba a ver la televisión o a hojear revistas siempre encontraba mujeres hermosas parecidas a Rosalba. Cuando en el trabajo me tocaba atender a una muchacha que tuviera algún rasgo de ella, la trataba mal, le inventaba dificultades, buscaba formas de humillarla delante de los otros empleados para sentir: Me estoy vengando de Rosalba.

Usted me preguntará, padre, qué me hizo Rosalba. Nada, lo que se llama nada. Eso era lo peor y lo que más furia me daba. Insisto, padre: siempre fue buena y cariñosa conmigo. Pero me hundió, me arruinó la vida, sólo por existir, por ser tan bella, tan inteligente, tan rica, tan todo.

Yo sé lo que es estar en el infierno, padre. Sin embargo, no hay plazo que no se cumpla ni deuda que no se pague. Aquella reunión en Santa María debe de haber sido en 1946. De modo que esperé un cuarto de siglo. Y al fin hoy, padre, esta mañana la vi en la esquina de Madero y Palma. Primero de lejos, después muy de cerca. No puede imaginarse, padre: ese cuerpo maravilloso, esa cara, esas piernas, esos ojos, ese cabello, se perdieron para siempre en un tonel de manteca, bolsas, manchas, arrugas, papadas, várices, canas, maquillaje, colorete, rímel, dientes falsos, pestañas postizas, lentes de fondo de botella.

Me apresuré a besarla y abrazarla. Había acabado lo que nos separó. No importaba lo de antes. Ya nunca más seríamos una la fea y otra la bonita. Ahora Rosalba y yo somos iguales. Ahora la vejez nos ha hecho iguales.

La fiesta brava

A Lauro Zavala

# SE GRATIFICARÁ

AL TAXISTA o a cualquier persona que informe sobre el paradero del señor ANDRÉS QUINTANA, cuya fotografía aparece al margen. Se extravió el pasado viernes 13 de agosto de 1971 en el trayecto de la avenida Juárez a la calle de Tonalá en la colonia Roma, hacia las 23:30 (once y media) de la noche. Cualquier dato que pueda ayudar a su localización se agradecerá en los teléfonos 511 93 03 y 533 12 50.

## LA FIESTA BRAVA
### UN CUENTO DE ANDRÉS QUINTANA

La tierra parece ascender, los arrozales flotan en el aire, se agrandan los árboles comidos por el defoliador, bajo el estruendo concéntrico de las aspas el helicóptero hace su aterrizaje vertical, otros quince se posan en los alrededores, usted salta a tierra metralleta en mano, dispara y ordena disparar contra todo lo que se mueva y aun lo inmóvil, no quedará bambú sobre bambú, no habrá ningún sobreviviente en lo que fue una aldea a orillas del río de sangre,

bala, cuchillo, bayoneta, granada, lanzallamas, culata, todo se vuelve instrumento de muerte, al terminar con los habitantes incendian las chozas y vuelven a los helicópteros, usted, capitán Keller, siente la paz del deber cumplido, arden entre las ruinas cadáveres de mujeres, niños, ancianos, no queda nadie porque, como usted dice, todos los pobladores pueden ser del Vietcong, sus hombres regresan sin una baja y con un sentimiento opuesto a la compasión, el asco y el horror que les causaron los primeros combates, ahora, capitán Keller, se encuentra a miles de kilómetros de aquel infierno que envenena de violencia y de droga al mundo entero y usted contribuyó a desatar, la guerra aún no termina pero usted no volverá a la tierra arrasada por el napalm, porque, pensión de veterano, camisa verde, Rolleiflex, de pie en la Sala Maya del Museo de Antropología, atiende las explicaciones de una muchacha que describe en inglés cómo fue hallada la tumba en el Templo de las Inscripciones en Palenque,

usted ha llegado aquí sólo para aplazar el momento en que deberá conseguir un trabajo civil y olvidarse para siempre de Vietnam, entre todos los países del mundo escogió México porque en la agencia de viajes le informaron que era lo más barato y lo más próximo, así pues no le queda más remedio que observar con fugaz admiración esta parte de un itinerario inevitable,

en realidad nada le ha impresionado, las mejores piezas las había visto en reproducciones, desde luego en su presencia real se ven muy distintas, pero de cualquier modo no le producen mayor emoción los vestigios de un mundo aniquilado por un imperio que fue tan poderoso como el suyo, capitán Keller,

salen, cruzan el patio, el viento arroja gotas de la fuente, entran en la Sala Mexica, vamos a ver, dice la guía, apenas una mínima parte de lo que se calcula produjeron los artistas aztecas sin instrumentos de metal ni ruedas para transportar los grandes bloques de piedra, aquí está casi todo lo que sobrevivió a la destrucción de México-Tenochtitlan, la gran ciudad enterrada bajo el mismo suelo que, señoras y señores, pisan ustedes,

la violencia inmóvil de la escultura azteca provoca en usted una respuesta que ninguna obra de arte le había suscitado, cuando menos lo esperaba se ve ante el acre monolito en que un escultor sin nombre fijó como quien petrifica una obsesión la imagen implacable de Coatlicue, madre de todas las deidades, del sol, la luna y las estrellas, diosa que crea la vida en este planeta y recibe a los muertos en su cuerpo,

usted queda imantado por ella, imantado, no hay otra palabra, suspenderá los tours a Teotihuacan, Taxco y Xochimilco para volver al museo jueves, viernes y sábado, sentarse frente a Coatlicue y reconocer en ella algo que usted ha intuido siempre, capitán,

su insistencia provoca sospechas entre los cuidadores, para justificarse, para disimular esa fascinación aberrante, usted se compra un block y empieza a dibujar en todos sus detalles a Coatlicue,

el domingo le parecerá absurdo su interés en una escultura que le resulta ajena, y en vez de volver al museo se inscribirá en la excursión FIESTA BRAVA, los amigos que ha hecho en este viaje le preguntarán por qué no estuvo con ellos en Taxco, en Cuernavaca, en las pirámides y en los jardines flotantes de Xochimilco, en dónde se ha metido durante estos días, ¿acaso no leyó a D.H. Lawrence, no sabe que la ciudad de México es siniestra y en cada esquina acecha un peligro mortal?, no, no, jamás salga solo, capitán Keller, con estos mexicanos nunca se sabe,

no se preocupen, me sé cuidar, si no me han visto es porque me paso todos los días en Chapultepec dibujando las mejores piezas, y ellos, para qué pierde su tiempo, puede comprar libros, postales, slides, reproducciones en miniatura,

cuando termina la conversación, en la plaza México suena el clarín, se escucha un pasodoble, aparecen en el ruedo los matadores y sus cuadrillas, sale el primer toro, lo capotean, pican, banderillean y matan, usted se horroriza ante el espectáculo, no resiste ver lo que le hacen al toro, y dice a sus compatriotas, salvajes mexicanos, cómo se puede torturar así a los animales, qué país, esta maldita FIESTA BRAVA explica su atraso, su miseria, su servilismo, su agresividad, no tienen ningún futuro, habría que fusilarlos a todos, usted se levanta, abandona la plaza, toma un taxi, vuelve al museo a contemplar a la diosa, a seguir dibujándola en el poco tiempo en que aún estará abierta la sala, después cruza el Paseo de la Reforma, llega a la acera sobre el lago, ve iluminarse el Castillo de Chapultepec en el cerro, un hombre que vende helados empuja su carrito de metal, se le acerca y dice, buenas tardes, señor, dispense usted, le interesa mucho todo lo azteca, ¿no es verdad?, antes de irse ¿no le gustaría conocer algo que nadie ha visto y usted no olvidará nunca?, puede confiar en mí, señor, no trato de venderle nada, no soy un estafador de turistas, lo que le ofrezco no le costará un solo centavo, usted en su difícil español responde, bueno, qué es, de qué se trata,

no puedo decirle ahora, señor, pero estoy seguro de que le interesará, sólo tiene que subirse al último carro del último metro el viernes 13 de agosto en la estación Insurgentes, cuando el tren se detenga en el túnel entre Isabel la Católica y Pino Suárez y las puertas se abran por un instante, baje usted y camine hacia el oriente por el lado derecho de la vía hasta encontrar una luz verde, si tiene la bondad de aceptar mi invitación lo estaré esperando, puedo jurarle que no se arrepentirá, como le he dicho es algo muy especial, *once in a lifetime,* pronuncia en perfecto inglés para asombro de usted, capitán Keller,

el vendedor detendrá un taxi, le dará el nombre de su hotel, cómo es posible que lo supiera, y casi lo empujará al interior del vehículo, en el camino pensará, fue una broma, un estúpido juego mexicano para

242

tomar el pelo a los turistas, más tarde modificará su opinión,

y por la noche del viernes señalado, camisa verde, Rolleiflex, descenderá a la estación Insurgentes y cuando los magnavoces anuncien que el tren subterráneo se halla a punto de iniciar su recorrido final, usted subirá al último vagón, en él sólo hallará a unos cuantos trabajadores que vuelven a su casa en Ciudad Nezahualcóyotl, al arrancar el convoy usted verá en el andén opuesto a un hombre de baja estatura que lleva un portafolios bajo el brazo y grita algo que usted no alcanzará a escuchar,

ante sus ojos pasarán las estaciones Cuauhtémoc, Balderas, Salto del Agua, Isabel la Católica, de pronto se apagarán la iluminación externa y la interna, el metro se detendrá, bajará usted a la mitad del túnel, caminará sobre el balasto hacia la única luz aún encendida cuando el tren se haya alejado, la luz verde, la camisa brillando fantasmal bajo la luz verde, entonces saldrá a su encuentro el hombre que vende helados enfrente del museo,

ahora los dos se adentran por una galería de piedra, abierta a juzgar por las filtraciones y el olor a cieno en el lecho del lago muerto sobre el que se levanta la ciudad, usted pone un flash en su cámara, el hombre lo detiene, no, capitán, no gaste sus fotos, pronto tendrá mucho que retratar, habla en un inglés que asombra por su naturalidad, ¿en dónde aprendió?, le pregunta, nací en Buffalo, vine por decisión propia a la tierra de mis antepasados,

el pasadizo se alumbra con hachones de una madera aromática, le dice que es ocote, una especie de pino, crece en las montañas que rodean la capital, usted no quiere confesarse, tengo miedo, cómo va a asaltarme aquí el miedo que no sentí en Vietnam,

¿para qué me ha traído?, para ver la Piedra Pintada, la más grande escultura azteca, la que conmemora los triunfos del emperador Ahuizotl y no pudieron encontrar durante las excavaciones del Metro usted, capitán Keller, fue elegido, usted será el primer blanco que la vea desde que los españoles la sepultaron en el lodo para que los vencidos perdieran la memoria de su pasada grandeza y pudieran ser despojados de todo, marcados a hierro, convertidos en bestias de trabajo y de carga,

el hablar de este hombre lo sorprende por su vehemencia, capitán Keller, y todo se agrava porque los ojos de su interlocutor parecen resplandecer en la penumbra, usted los ha visto antes, ¿en dónde?, ojos oblicuos pero en otra forma, los que llamamos indios llegaron por el Estrecho de Bering, ¿no es así? México también es asiático, podría decirse, pero no temo a nada, pertenecí al mejor ejército del mundo, invicto siempre, soy un veterano de guerra, ya que ha aceptado meterse en todo esto, confía en que la aventura valga la pena, puesto que ha descendido a otro infierno espera el premio de encontrar una ciudad subterránea que reproduzca al detalle la México-Tenochtitlan con sus lagos y sus canales como la representan las maquetas del museo, pero, capitán Keller, no hay nada semejante, sólo de trecho en trecho aparecen ruinas, fragmentos de adoratorios y palacios aztecas, cuatro siglos atrás sus piedras se emplearon como base, cimiento y relleno de la ciudad española,

el olor a fango se hace más fuerte, usted tose, se ha resfriado por la humedad intolerable, todo huele a encierro y a tumba, el pasadizo es un inmenso sepulcro, abajo está el lago muerto, arriba la ciudad moderna, ignorante de lo que lleva en sus entrañas, por la distancia recorrida, supone usted, deben de estar muy cerca de la gran plaza, la catedral y el palacio,

quiero salir, sáqueme de aquí, le pago lo que sea, dice a su acompañante, espere, capitán, no se preocupe, todo está bajo control, ya vamos a llegar, pero usted insiste, quiero irme ahora mismo le digo, usted no sabe quién soy yo, lo sé muy bien, capitán, en qué lío puede meterse si no me obedece,

usted no ruega, no pide, manda, impone, humilla, está acostumbrado a dar órdenes, los inferiores tienen que obedecerlas, la firmeza siempre da resultado, el vendedor contesta en efecto, no se preocupe, estamos a punto de llegar a una salida, a unos cincuenta metros le muestra una puerta oxidada, la abre y le dice con la mayor suavidad, pase usted, capitán, si es tan amable,

y entra usted sin pensarlo dos veces, seguro de que saldrá a la superficie, y un segundo más tarde se halla encerrado en una cámara de tezontle sin más luz ni ventilación que las producidas por una abertura de forma indescifrable, ¿el glifo del viento, el glifo de la muerte?,

a diferencia del pasadizo allí el suelo es firme y parejo, ladrillo antiquísimo o tierra apisonada, en un rincón hay una estera que los mexicanos llaman petate, usted se tiende en ella, está cansado y temeroso pero no duerme, todo es tan irreal, parece tan ilógico y tan absurdo que usted no alcanza a ordenar las impresiones recibidas, qué vine a hacer aquí, quién demonios me mandó venir a este maldito país, cómo pude ser tan idiota de aceptar una invitación a ser asaltado, pronto llegarán a quitarme la cámara, los cheques de viajero y el pasaporte, son simples ladrones, no se atreverán a matarme,

la fatiga vence a la ansiedad, lo adormecen el olor a légamo, el rumor de conversaciones lejanas en un idioma desconocido, los pasos en el corredor subterráneo, cuando por fin abre los ojos comprende, anoche no debió haber cenado esa atroz comida mexicana, por su culpa ha tenido una pesadilla, de qué manera el inconsciente saquea la realidad, el museo, la escultura azteca, el vendedor de helados, el metro, los túneles extraños y amenazantes del ferrocarril subterráneo, y cuando cerramos los ojos le da un orden o un desorden distintos,

qué descanso despertar de ese horror en un cuarto limpio y seguro del Holiday Inn, ¿habrá gritado en el sueño?, menos mal que no fue el otro, el de los vietnamitas que salen de la fosa común en las mismas condiciones en que usted los dejó pero agravadas por los años de corrupción, menos mal, qué hora es, se pregunta, extiende la mano que se mueve en el vacío y trata en vano de alcanzar la lámpara, la lámpara no está, se llevaron la mesa de noche, usted se levanta para encender la luz central de su habitación,

en ese instante irrumpen en la celda del subsuelo los hombres que lo llevan a la Piedra de Ahuizotl, la gran mesa circular acanalada, en una de las pirámides gemelas que forman el Templo Mayor de México-Tenochtitlan, lo aseguran contra la superficie de basalto, le abren el pecho con un cuchillo de obsidiana, le arrancan el corazón, abajo danzan, abajo tocan su música tristísima, y lo levantan para ofrecerlo como alimento sagrado al dios jaguar, al sol que viajó por las selvas de la noche, y ahora, mientras su cuerpo, capitán Keller, su cuerpo deshilvanado rueda por la escalinata de la pirámide, con la fuerza de la sangre que acaban de ofrendarle el sol renace en forma de águila sobre México-Tenochtitlan, el sol eterno entre los dos volcanes.

Andrés Quintana escribió entre guiones el número 78 en la hoja de papel revolución que acababa de introducir en la máquina eléctrica Smith-Corona y se volvió hacia la izquierda para leer la página de *The Population Bomb*. En ese instante un grito lo apartó de su trabajo:

–FBI. Arriba las manos. No se mueva.

Desde las cuatro de la tarde el televisor había sonado a todo volumen en el departamento contiguo. Enfrente los jóvenes que formaban un conjunto de rock atacaron el mismo pasaje ensayado desde el mediodía:

*Where's your momma gone?*
*Where's your momma gone?*
*Little baby don*
*Little baby don*
*Where's your momma gone?*
*Where's your momma gone?*
*Far, far away.*

Se puso de pie, cerró la ventana abierta sobre el lúgubre patio interior, volvió a sentarse al escritorio y releyó:

*SCENARIO II. En 1979 the last non-Communist Governement in Latin America, that of Mexico, is replaced by a Chinese supported military junta. The change occurs at the end of a decade of frustration and failure for the United States. Famine has swept repeatedly across Africa and South America. Food riots have often became anti-American riots.*

Meditó sobre el término que traduciría mejor la palabra *scenario*. Consultó la sección English/Spanish del *New World*. «Libreto, guión, argumento.» No en el contexto. ¿Tal vez «posibilidad, hipótesis»? Releyó la primera frase y con el índice de la mano izquierda (un accidente infantil le había paralizado la derecha) escribió a gran velocidad:

*En 1979 el gobierno de México* (¿el gobierno mexicano?), *último no-comunista que quedaba en América Latina* (¿Latinoamérica, Hispanoamérica, Iberoamérica, la América española?), *es reemplazado* (¿derrocado?) *por una junta militar apoyada por China* (¿con respaldo chino?).

Al terminar Andrés leyó el párrafo en voz alta:
–«Que quedaba», suena horrible. Hay dos «pores» seguidos. E «ina-ina». Qué prosa. Cada vez traduzco peor. –Sacó la hoja y bajo el antebrazo derecho la pren-

só contra la mesa para romperla con la mano izquierda. Sonó el teléfono.

–Diga.

–Buenas tardes. ¿Puedo hablar con el señor Quintana?

–Sí, soy yo.

–Ah, quihúbole, Andrés, cómo estás, qué me cuentas.

–Perdón... ¿quién habla?

–¿Ya no me reconoces? Claro, hace siglos que no conversamos. Soy Arbeláez y te voy a dar lata como siempre.

–Ricardo, hombre, qué gusto, qué sorpresa. Llevaba años sin saber de ti.

–Es increíble todo lo que me ha pasado. Ya te contaré cuando nos reunamos. Pero antes déjame decirte que me embarqué en un proyecto sensacional y quiero ver si cuento contigo.

–Sí, cómo no. ¿De qué se trata?

–Mira, es cuestión de reunirnos y conversar. Pero te adelanto algo a ver si te animas. Vamos a sacar una revista como no hay otra en *Mexiquito*. Aunque es difícil calcular estas cosas, creo que va a salir algo muy especial.

–¿Una revista literaria?

–Bueno, en parte. Se trata de hacer una especie de *Esquire* en español. Mejor dicho, una mezcla de *Esquire*, *Playboy*, *Penthouse* y *The New Yorker*, ¿no te parece una locura?, pero desde luego con una proyección *latina*.

—Ah, pues muy bien —dijo Andrés en el tono más desganado.

—¿Verdad que es buena onda el proyecto? Hay dinero, anunciantes, distribución, equipo: todo. Meteremos publicidad distinta según los países y vamos a imprimir en Panamá. Queremos que en cada número haya reportajes, crónicas, entrevistas, caricaturas, críticas, humor, secciones fijas, un «desnudo del mes» y otras dos encueradas, por supuesto, y también un cuento inédito escrito en español.

—Me parece estupendo.

—Para el primero se había pensado en *comprarle* uno a *Gabo*... No estuve de acuerdo: insistí en que debíamos lanzar con proyección continental a un autor mexicano, ya que la revista se hace aquí en *Mexiquito*, tiene ese defecto, ni modo. Desde luego, pensé en ti, a ver si nos haces el honor.

—Muchas gracias, Ricardo. No sabes cuánto te agradezco.

—Entonces ¿aceptas?

—Sí, claro... Lo que pasa es que no tengo ningún cuento nuevo... En realidad hace mucho que no escribo.

—¡No me digas! ¿Y eso?

—Pues... problemas, chamba, desaliento... En fin, lo de siempre.

—Mira, olvídate de todo y siéntate a pensar en tu relato ahora mismo. En cuanto esté me lo traes. Supongo que no tardarás mucho. Queremos sacar el primer número en diciembre para salir con todos los anuncios de fin de año... A ver: ¿a qué estamos...? Doce de agosto... Sería perfecto que me lo entregaras... el día primero no se trabaja, es el informe presidencial... el dos de septiembre ¿te parece bien?

–Pero, Ricardo, sabes que me tardo siglos con un cuento... Hago diez o doce versiones... Mejor dicho: *me tardaba, hacía.*

–Oye, debo decirte que por primera vez en este pinche país se trata de pagar bien, como se merece, un texto literario. A nivel internacional no es gran cosa, pero con base en lo que suelen darte en *Mexiquito* es una fortuna... He pedido para ti mil quinientos dólares.

–¿Mil quinientos dólares por un cuento?

–No está nada mal ¿verdad? Ya es hora de que se nos quite lo subdesarrollados y aprendamos a cobrar nuestro trabajo... De manera, mi querido Ricardo, que te me vas poniendo a escribir en este instante. Toma mis datos, por favor.

Andrés apuntó la dirección y el teléfono en la esquina superior derecha de un periódico en el que se leía: HAY QUE FORTALECER LA SITUACIÓN PRIVILEGIADA QUE TIENE MÉXICO DENTRO DEL TURISMO MUNDIAL. Abundó en expresiones de gratitud hacia Ricardo. No quiso continuar la traducción. Ansiaba la llegada de su esposa para contarle del milagro.

Hilda se asombró: Andrés no estaba quejumbroso y desesperado como siempre. Al ver su entusiasmo no quiso disuadirlo, por más que la tentativa de empezar y terminar el cuento en una sola noche le parecía condenada al fracaso. Cuando Hilda se fue a dormir Andrés escribió el título, LA FIESTA BRAVA, y las primeras palabras: «La tierra parece ascender».

Llevaba años sin trabajar de noche con el pretexto de que el ruido de la máquina molestaba a sus vecinos. En realidad tenía mucho sin hacer más que traducciones y prosas burocráticas. Andrés halló de niño su vocación de cuentista y quiso dedicarse sólo a este género. De adolescente su biblioteca estaba formada sobre todo por colecciones de cuentos. Contra la dispersión de sus amigos él se enorgullecía de casi no leer poemas, novelas, ensayos, dramas, filosofía, historia, libros políticos, y frecuentar en cambio los cuentos de los grandes narradores vivos y muertos.

Durante algunos años Andrés cursó la carrera de arquitectura, obligado como hijo único a seguir la profesión de su padre. Por las tardes iba como oyente a los cursos de Filosofía y Letras que pudieran ser útiles para su formación como escritor. En la Ciudad Universitaria recién inaugurada Andrés conoció al grupo de la revista *Trinchera*, impresa en papel sobrante de un diario de nota roja, y a su director Ricardo Arbeláez, que sin decirlo actuaba como maestro de esos jóvenes.

Ya cumplidos los treinta y varios años después de haberse titulado en Derecho, Arbeláez quería doctorarse en literatura y convertirse en el gran crítico que iba a establecer un nuevo orden en las letras mexicanas. En la Facultad y en el Café de las Américas hablaba sin cesar de sus proyectos: una nueva historia literaria a partir de la estética marxista y una *gran novela* capaz de representar para el México de aquellos años lo que *En busca del tiempo perdido* significó para Francia. Él insinuaba que había roto con su familia aristocrática, una mentira a todas luces, y por tanto haría su libro con verdadero conocimiento de causa. Hasta entonces su obra se limitaba a reseñas siempre adversas y a textos contra el PRI y el gobierno de Ruiz Cortines.

Ricardo era un misterio aun para sus más cercanos amigos. Se murmuraba que tenía esposa e hijos y, contra sus ideas, trabajaba por las mañanas en el bufete de un *abogángster,* defensor de los indefendibles y famoso por sus escándalos. Nadie lo visitó nunca en su oficina ni en su casa. La vida pública de Arbeláez empezaba a las cuatro de la tarde en la Ciudad Universitaria y terminaba a las diez de la noche en el Café de las Américas.

Andrés siguió las enseñanzas del maestro y publicó sus primeros cuentos en *Trinchera.* Sin renunciar a su actitud crítica ni a la exigencia de que sus discípulos escribieran la mejor prosa y el mejor verso posibles, Ricardo consideraba a Andrés «el cuentista más prometedor de la nueva generación». En su balance literario de 1958 hizo el elogio definitivo: «Para narrar, nadie como Quintana».

Su preferencia causó estragos en el grupo. A partir de entonces Hilda se fijó en Andrés. Entre todos los de *Trinchera* sólo él sabía escucharla y apreciar sus poemas. Sin embargo, no había intimado con ella porque Hilda estaba siempre al lado de Ricardo. Su relación jamás quedó clara. A veces parecía la intocada discípula y admiradora de quien les indicaba qué leer, qué opinar, cómo escribir, a quién admirar o detestar. En ocasiones, a pesar de la diferencia de edades, Ricardo la trataba como a una novia de aquella época y de cuando en cuando todo indicaba que tenían una relación mucho más íntima.

Arbeláez pasó unas semanas en Cuba para hacer un libro, que no llegó a escribir, sobre los primeros meses de la revolución. Insinuó que él había presentado a Ernesto Guevara y a Fidel Castro y en agradecimiento ambos lo invitaban a celebrar el triunfo. Esta mentira, pensó Andrés, comprobaba que Arbeláez era un mitómano. Durante su ausencia Hilda y Quintana se vieron todos los días y a toda hora. Convencidos de que no podrían separarse, decidieron hablar con Ricardo en cuanto volviera de Cuba.

La misma tarde de la conversación en el café Palermo, el 28 de marzo de 1959, las fuerzas armadas rompieron la huelga ferroviaria y detuvieron a su líder Demetrio Vallejo. Arbeláez no objetó la unión de sus amigos pero se apartó de ellos y no volvió a Filosofía y Letras. Los amores de Hilda y Andrés marcaron el fin del grupo y la muerte de *Trinchera*.

En febrero de 1960 Hilda quedó embarazada. Andrés no dudó un instante en casarse con ella. La madre (a quien el marido había abandonado con dos hijas pequeñas) aceptó el matrimonio como un mal menor. Los señores Quintana lo consideraron una equivocación: a punto de cumplir veinticinco años Andrés dejaba los estudios cuando ya sólo le faltaba presentar la tesis y no podría sobrevivir como escritor. Ambos eran católicos y miembros del Movimiento Familiar Cristiano. Se estremecían al pensar en un aborto, una madre soltera, un hijo sin padre. Resignados, obsequiaron a los nuevos esposos algún dinero y una casita seudocolonial de las que el arquitecto había construido en Coyoacán con materiales de las demoliciones en la ciudad antigua.

Andrés, que aún seguía trabajando cada noche en sus cuentos y se negaba a publicar un libro, nunca escribió notas ni reseñas. Ya que no podía dedicarse al periodismo, mientras intentaba abrirse paso como guionista de cine tuvo que redactar las memorias de un general revolucionario. Ningún *script* satisfizo a los productores. Por su parte Arbeláez empezó a colaborar cada semana en *México en la Cultura*. Durante un tiempo sus críticas feroces fueron muy comentadas.

Hilda perdió al niño en el sexto mes de embarazo. Quedó incapacitada para concebir, abandonó la Universidad y nunca más volvió a hacer poemas. El general murió cuando Andrés iba a la mitad del segundo volumen. Los herederos cancelaron el proyecto. En 1961 Hilda y Andrés se mudaron a un sombrío departamento interior de la colonia Roma. El alquiler de su casa en Coyoacán completaría lo que ganaba Andrés traduciendo libros para una empresa que fomentaba el panamericanismo, la Alianza para el Progreso y la imagen de John Fiztgerald Kennedy. En el *Suplemento* por excelencia de aquellos años Arbeláez (sin mencionar a Andrés) denunció a la casa editorial como tentáculo de la CIA. Cuando la inflación pulverizó su presupuesto, las amistades familiares obtuvieron para Andrés la plaza de corrector de estilo en la Secretaría de Obras Públicas. Hilda quedó empleada, como su hermana, en la *boutique* de Madame Marnat en la Zona Rosa.

En 1962 Sergio Galindo, en la serie Ficción de la Universidad Veracruzana, publicó *Fabulaciones,* el primer y último libro de Andrés Quintana. *Fabulaciones* tuvo la mala suerte de salir al mismo tiempo y en la misma colección que la segunda obra de Gabriel García Márquez, *Los funerales de la Mamá Grande,* y en los meses de *Aura* y *La muerte de Artemio Cruz.* Se vendieron ciento treinta y cuatro de sus dos mil ejemplares y Andrés compró otros setenta y cinco. Hubo una sola reseña escrita por Ricardo en el nuevo suplemento *La Cultura en México.* Andrés le mandó una carta de agradecimiento. Nunca supo si había llegado a manos de Arbeláez.

Después las revistas mexicanas dejaron durante mucho tiempo de publicar narraciones breves y el auge de la novela hizo que ya muy pocos se interesaran por escribirlas. Edmundo Valadés inició *El Cuento* en 1964 y reprodujo a lo largo de varios años algunos textos de

*Fabulaciones*. Joaquín Díez-Canedo le pidió una nueva colección para la Serie del Volador de su editorial Joaquín Mortiz. Andrés le prometió al subdirector, Bernardo Giner de los Ríos, que en marzo de 1966 iba a entregarle el nuevo libro. Concursó en vano por la beca del Centro Mexicano de Escritores. Se desalentó, pospuso el volver a escribir para una época en que todos sus problemas se hubieran resuelto e Hilda y su hermana pudiesen independizarse de Madame Marnat y establecer su propia tienda.

Ricardo había visto interrumpida su labor cuando se suicidó un escritor víctima de un comentario. No hubo en el medio nadie que lo defendiera del escándalo. En cambio el *abogángster* salió a los periódicos y argumentó: Nadie se quita la vida por una nota de mala fe; el señor padecía suficientes problemas y enfermedades como para negarse a seguir viviendo. El suicidio y el resentimiento acumulado hicieron que la ciudad se le volviera irrespirable a Ricardo. Al no hallar editor para lo que iba a ser su tesis, tuvo que humillarse a imprimirla por su cuenta. El gran esfuerzo de revisar la novela mexicana halló un solo eco: Rubén Salazar Mallén, uno de los más antiguos críticos, lamentó como finalmente reaccionaria la aplicación dogmática de las teorías de Georg Lucáks. El rechazo de su modelo a cuanto significara vanguardismo, fragmentación, alienación, condenaba a Arbeláez a no entender los libros de aquel momento y destruía sus pretensiones de novedad y originalidad. Hasta entonces Ricardo había sido el juez y no el juzgado. Se deprimió pero tuvo la nobleza de admitir que Salazar Mallén acertaba en sus objeciones.

Como tantos que prometieron todo, Ricardo se estrelló contra el muro de México. Volvió por algún tiempo a La Habana y luego obtuvo un puesto como profesor de español en Checoslovaquia. Estaba en Praga cuando sobrevino la invasión soviética de 1968. Lo último que supieron Hilda y Andrés fue que había emigrado a Washington y trabajaba para la OEA. En un segundo pasaron los sesenta, cambió el mundo, Andrés cumplió treinta años en 1966, México era distinto y otros jóvenes llenaban los sitios donde entre 1955 y 1960 ellos escribieron, leyeron, discutieron, aprendieron, publicaron *Trinchera,* se amaron, se apartaron, siguieron su camino o se frustraron.


Sea como fuere, Andrés le decía a Hilda por las noches, mi vocación era escribir y de un modo o de otro la estoy cumpliendo. / Al fin y al cabo las traducciones, los folletos y aun los oficios burocráticos pueden estar tan bien escritos como un cuento ¿no crees? / Sólo por un concepto elitista y arcaico puede creerse que lo único válido es la llamada «literatura de creación» ¿no te parece? / Además no quiero competir con los escritorzuelos mexicanos inflados por la publicidad; noveluchas como las que ahora tanto elogian los seudocríticos que padecemos, yo podría hacerlas de a diez por año ¿verdad? / Hilda, cuando estén hechos polvo todos los libros que hoy tienen éxito en México, alguien leerá *Fabulaciones* y entonces... /

Y ahora por un cuento –el primero en una década, el único posterior a *Fabulaciones*– estaba a punto de recibir lo que ganaba en meses de tardes enteras ante la máquina traduciendo lo que definía como *ilegibros*. Iba a pagar sus deudas de oficina, a comprarse las cosas que le faltaban, a comer en restaurantes, a irse de vacaciones con Hilda. Gracias a Ricardo había recuperado su impulso literario y dejaba atrás los pretextos para ocultarse su fracaso esencial:

En el subdesarrollo no se puede ser escritor. / Estamos en 1971: el libro ha muerto: nadie volverá a leer nunca: ahora lo que me interesa son los *mass media*. / Bueno, cuando se trata de escribir todo sirve, no hay trabajo perdido: de mi experiencia burocrática, ya verás, saldrán cosas. /

Con el índice de la mano izquierda escribió «los arrozales flotan en el aire» y prosiguió sin detenerse. Nunca antes lo había hecho con tanta fluidez. A las cinco de la mañana puso el punto final en «entre los dos volcanes». Leyó sus páginas y sintió una plenitud desconocida. Cuando se fue a dormir se había fumado una cajetilla de Viceroy y bebido cuatro Coca Colas pero acababa de terminar LA FIESTA BRAVA.


Andrés se levantó a las once. Se bañó, se afeitó y llamó por teléfono a Ricardo.

–No puede ser. Ya lo tenías escrito.

–Te juro que no. Lo hice anoche. Voy a corregirlo y a pasarlo en limpio. A ver qué te parece. Ojalá funcione. ¿Cuándo te lo llevo?

–Esta misma noche si quieres. Te espero a las nueve en mi oficina.

–Muy bien. Allí estaré a las nueve en punto. Ricardo, de verdad, no sabes cuánto te lo agradezco.

–No tienes nada que agradecerme, Andrés. Te mando un abrazo.

Habló a Obras Públicas para disculparse por su ausencia ante el jefe del departamento. Hizo cambios a mano y reescribió el cuento a máquina. Comió un sándwich de mortadela casi verdosa. A las cuatro emprendió una última versión en papel bond de Kimberly Clark. Llamó a Hilda a la *boutique* de Madame Marnat. Le dijo que había terminado el cuento e iba a entregárselo a Arbeláez. Ella le contestó:

–De seguro vas a llegar tarde. Para no quedarme sola iré al cine con mi hermana.

–Ojalá pudieran ver *Ceremonia secreta*. Es de Joseph Losey.

–Sí, me gustaría. ¿No sabes en qué cine la pasan? Bueno, te felicito por haber vuelto a escribir. Que te vaya bien con Ricardo.

A las ocho y media Andrés subió al metro en la estación Insurgentes. Hizo el cambio en Balderas, descendió en Juárez y llegó puntual a la oficina. La secretaria era tan hermosa que él se avergonzó de su delgadez, su baja estatura, su ropa gastada, su mano tullida. A los pocos minutos la joven le abrió las puertas de un despacho iluminado en exceso. Ricardo Arbeláez se levantó del escritorio y fue a su encuentro para abrazarlo.

Doce años habían pasado desde aquel 28 de marzo de 1959. Arbeláez le pareció irreconocible con el traje de Shantung azul-turquesa, las patillas, el bigote, los anteojos sin aro, el pelo entrecano. Andrés volvió a sentirse fuera de lugar en aquella oficina de ventanas sobre la Alameda y paredes cubiertas de fotomurales con viejas litografías de la ciudad.

Se escrutaron por unos cuantos segundos. Andrés sintió forzada la actitud antinostálgica, de *como decíamos ayer,* que adoptaba Ricardo. Ni una palabra acerca de la vieja época, ninguna pregunta sobre Hilda, ni el menor intento de ponerse al corriente y hablar de sus vidas durante el largo tiempo en que dejaron de verse. Creyó que la cordialidad telefónica no tardaría en romperse.

Me trajo a su terreno. / Va a demostrarme su poder. / Él ha cambiado. / Yo también. / Ninguno de los dos es lo que quisiera haber sido. / Ambos nos traicionamos a nosotros mismos. / ¿A quién le fue peor?

Para romper la tensión Arbeláez lo invitó a sentarse en el sofá de cuero negro. Se colocó frente a él y le ofreció un Benson & Hedges (antes fumaba Delicados). Andrés sacó del portafolios LA FIESTA BRAVA. Ricardo apreció la mecanografía sin una sola corrección manuscrita. Siempre lo admiraron los originales impecables de Andrés, tanto más asombrosos porque estaban hechos a toda velocidad y con un solo dedo.

–Te quedó de un tamaño perfecto. Ahora, si me permites un instante, voy a leerlo con Mister Hardwick, el *editor-in-chief* de la revista. Es de una onda muy padre. Trabajó en *Time Magazine*. ¿Quieres que te presente con él?

–No, gracias. Me da pena.

–¿Pena por qué? Sabe de ti. Te está esperando.

–No hablo inglés.

–¡Cómo! Pero si has traducido *miles* de libros.

–Quizá por eso mismo.

–Sigues tan raro como siempre. ¿Te ofrezco un whisky, un café? Pídele a Viviana lo que desees.

Al quedarse solo Andrés hojeó las publicaciones que estaban en la mesa frente al sofá y se detuvo en un anuncio:

*Located on 150 000 feet of Revolcadero Beach and rising 16 stories like an Aztec Pyramid, the $40 million Acapulco Princess Hotel and Club de Golf opened as this jet-set resort's largest and most lavish yet... One of the most spectacular hotels you will ever see, it has a lobby modeled like an Aztec temple with sunlight and moonlight filtering through the translucent roof. The 20 000 feet lobby's atrium is complemented by 60 feet palm-trees, a flowing lagoon and Mayan sculpture.*

Pero estaba inquieto, no podía concentrarse. Miró por la ventana la Alameda sombría, la misteriosa ciu-

264

dad, sus luces indescifrables. Sin que él se lo pidiera Viviana entró a servirle café y luego a despedirse y a desearle suerte con una amabilidad que lo aturdió aún más. Se puso de pie, le estrechó la mano, hubiera querido decirle algo pero sólo acertó a darle las gracias. Se había tardado en reconocer lo más evidente: la muchacha se parecía a Hilda, a Hilda en 1959, a Hilda con ropa como la que vendía en la *boutique* de Madame Marnat pero no alcanzaba a comprarse. Alguien, se dijo Andrés, con toda seguridad la espera en la entrada del edificio. / Adiós, Viviana, no volveré a verte.

Dejó enfriarse el café y volvió a observar los fotomurales. Lamentó la muerte de aquella ciudad de México. Imaginó el relato de un hombre que de tanto mirar una litografía termina en su interior, entre personajes de otro mundo. Incapaz de salir, ve desde 1855 a sus contemporáneos que lo miran inmóvil y unidimensional una noche de septiembre de 1971.

Enseguida pensó: Ese cuento no es mío, / otro lo ha escrito, / acabo de leerlo en alguna parte. / O tal vez no: lo he inventado aquí en esta extraña oficina, situada en el lugar menos idóneo para una revista con tales pretensiones. / En realidad me estoy evadiendo: aún no asimilo el encuentro con Ricardo. /

¿Habrá dejado de pensar en Hilda? / ¿Le seguiría gustando si la viera tras once años de matrimonio con el fiasco más grande de su generación? / «Para fracasar, nadie como Quintana», escribiría ahora si hiciera un balance de la narrativa actual. / ¿Cuáles fueron sus verdaderas relaciones con Hilda? / ¿Por qué ella sólo ha querido contarme vaguedades acerca de la época que pasó con Ricardo? / ¿Me tendieron una trampa, me cazaron para casarme a fin de que él, en teoría, pudiera seguir libre de obligaciones domésticas, irse de México, realizarse como escritor en vez de terminar como un burócrata que traduce *ilegibros* pagados a trasmano por la CIA? / ¿No es vil y canalla desconfiar de la esposa que ha resistido a todas mis frustraciones y depresiones para seguir a mi lado? ¿No es un crimen calumniar a Ricardo, mi maestro, el amigo que por simple generosidad me tiende la mano cuando más falta me hace? /

Y ¿habrá escrito su novela Ricardo? / ¿La llegará a escribir algún día? / ¿Por qué el director de *Trinchera,* el crítico implacable de todas las corrupciones literarias y humanas, se halla en esta oficina y se dispone a hacer una revista que ejemplifica todo aquello contra lo que luchamos en nuestra juventud? / ¿Por qué yo mismo respondí con tal entusiasmo a una oferta sin explicación lógica posible? /

¿Tan terrible es el país, tan terrible es el mundo, que en él todas las cosas son corruptas o corruptoras y nadie puede salvarse? / ¿Qué pensará de mí Ricardo? / ¿Me aborrece, me envidia, me desprecia? / ¿Habrá alguien capaz de envidiarme en mis humillaciones y fracasos? / Cuando menos tuve la fuerza necesaria para hacer un libro de cuentos. Ricardo no. / Su elogio de *Fabulaciones* y ahora su oferta, desmedida para un escritor que ya no existe, ¿fueron gentilezas, insultos, manifestaciones de culpabilidad o mensajes cifrados para Hilda? / El dinero prometido ¿paga el talento de un narrador a quien ya nadie recuerda? / ¿O es una forma de ayudar a Hilda al saber (¿Por quién? ¿Tal vez por ella misma?) de la rancia convivencia, las dificultades conyugales, el malhumor del fracasado, la burocracia devastadora, las ineptas traducciones de lo que no se leerá nunca, el horario mortal de Hilda en la *boutique* de Madame Marnat?

Dejó de hacerse preguntas sin respuesta, de dar vueltas por el despacho alfombrado, de fumar un Viceroy tras otro. Miró su reloj: Han pasado casi dos horas. / La tardanza es el peor augurio. / ¿Por qué este procedimiento insólito cuando lo habitual es dejarle el texto al editor y esperar sus noticias para dentro de quince días o un mes? / ¿Cómo es posible que permanezcan hasta medianoche con el único objeto de decidir ahora mismo sobre una colaboración más entre las muchas solicitadas para una revista que va a salir en diciembre?

Cuando se abrió de nuevo la puerta por la que había salido Viviana y apareció Ricardo con el cuento en las manos, Andrés se dijo: / Ya viví este momento. / Puedo recitar la continuación. /

–Andrés, perdóname. Nos tardamos siglos. Es que estuvimos dándole vueltas y vueltas a tu *historia*.

También en el recuerdo imposible de Andrés, Ricardo había dicho *historia*, no *cuento*. Un anglicismo, desde luego. / No importa. / Una traducción mental de *story,* de *short story.* / Sin esperanza, seguro de la respuesta, se atrevió a preguntar:

–¿Y qué les pareció?

–Mira, no sé cómo decírtelo. Tu narración me gusta, es interesante, está bien escrita... Sólo que, como en *Mexiquito* no somos profesionales, no estamos habituados a hacer cosas sobre pedido, sin darte cuenta bajaste el nivel, te echaste algo como para otra revista, no para la nuestra. ¿Me explico? LA FIESTA BRAVA resulta un *maquinazo,* tienes que reconocerlo. Muy digno, como siempre fueron tus cuentos, y a pesar de todo un *maquinazo.* Sólo Chejov y Maupassant pudieron hacer un gran cuento en tan poco tiempo.

Andrés hubiera querido decirle: / Lo escribí en unas horas, lo pensé años enteros. / Sin embargo no contestó. Miró azorado a Ricardo y en silencio se reprochó: / Me duele menos perder el dinero que el fracaso literario y la humillación ante Arbeláez. / Pero ya Ricardo continuaba:

–De verdad créemelo, no sabes cuánto lamento esta situación. Me hubiera encantado que Mister Hardwick aceptara LA FIESTA BRAVA. Ya ves, fuiste el primero a quien le hablé.

–Ricardo, las excusas salen sobrando: di que no sirve y se acabó. No hay ningún problema.

El tono ofendió a Arbeláez. Hizo un gesto para controlarse y añadió:

–*Sí* hay problemas. Te falta precisión. No se ve al personaje. Tienes párrafos confusos, el último, por ejemplo, gracias a tu capricho de sustituir por comas los demás signos de puntuación. ¿Vanguardismo a estas alturas? Por favor, Andrés, estamos en 1971, Joyce escribió hace medio siglo. Bueno, si te parece poco, tu anécdota es irreal en el peor sentido. Además eso del «sustrato prehispánico enterrado pero vivo» ya no aguanta, en serio ya no aguanta. Carlos Fuentes agotó el tema. Desde luego tú lo ves desde un ángulo distinto, pero de todos modos... El asunto se complica porque empleas la segunda persona, un recurso que hace mucho perdió su novedad y acentúa el parecido con *Aura* y *La muerte de Artemio Cruz*. Sigues en 1962, tal parece.

–Ya todo se ha escrito. Cada cuento sale de otro cuento. Pero, en fin, tus objeciones son irrebatibles excepto en lo de Fuentes. Jamás he leído un libro suyo. No leo literatura mexicana... Por higiene mental. –Andrés comprendió tarde que su arrogancia de perdedor sonaba a hueco.

–Pues te equivocas. Deberías leer a los que escriben junto a ti... Mira, LA FIESTA BRAVA me recuerda también un cuento de Cortázar.

–¿«La noche boca arriba»?

–Exacto.

–Puede ser.

–Y ya que hablamos de antecedentes, hay un texto de Rubén Darío: «Huitzilopochtli». Es de lo último que escribió. Un relato muy curioso de un gringo en la revolución mexicana y de unos ritos prehispánicos.

–¿Escribió cuentos Darío? Creí que sólo había sido poeta... Bueno, pues me retiro, desaparezco.

—Un momento: falta el colofón. A Mister Hardwick la trama le pareció burda y tercermundista, de un antiyanquismo barato. Puro lugar común. Encontró no sé cuántos símbolos.

—No hay ningún símbolo. Todo es directo.

—El final sugiere algo que no está en el texto y que, si me perdonas, considero estúpido.

—No entiendo.

—Es como si quisieras ganarte a los *acelerados* de la Universidad o tuvieras nostalgia de nuestros ingenuos tiempos en *Trinchera:* «México será la tumba del imperialismo norteamericano, del mismo modo que en el siglo XIX hundió las aspiraciones de Luis Bonaparte, Napoleón III». ¿No es así? Discúlpame, Andrés, te equivocaste. Mister Hardwick también está contra la guerra de Vietnam, por supuesto, y sabes que en el fondo mi posición no ha variado: cambió el mundo ¿no es cierto? Pero, Andrés, en qué cabeza cabe, a quién se le ocurre traer a una revista con fondos de allá arriba un cuento en que proyectas deseos, conscientes, inconscientes o subconscientes, de ahuyentar el turismo y de chingarte a los gringos. ¿Prefieres a los rusos? Yo los vi entrar en Praga para acabar con el único socialismo que hubiera valido la pena.

—Quizá tengas razón. A lo mejor yo solo me puse la trampa.

—Puede ser, *who knows*. Pero mejor no psicoanalicemos porque vamos a concluir que tal vez tu cuento es una agresión disfrazada en contra mía.

—No, cómo crees —Andrés fingió reír con Ricardo, hizo una pausa y añadió—: Bueno, muchas gracias de cualquier modo.

—Por favor, no lo tomes así, no seas absurdo. Espero otra cosa tuya aunque no sea para el primer número. Andrés, esta revista no trabaja a la mexicana: lo que se encarga se paga. Aquí tienes: son doscientos dólares nada más, pero algo es algo.

Ricardo tomó de su cartera diez billetes de veinte dólares. Andrés pensó que el gesto lo humillaba y no extendió la mano para recibirlos.

—No te sientas mal aceptándolos. Es la costumbre en Estados Unidos. Ah, si no te molesta, fírmame este recibo y déjame unos días tu original para mostrárselo al administrador y justificar el pago. Después te lo mando con un *office boy*, porque el correo en *este país*...

—Muy bien. Gracias de nuevo. Intentaré traerte alguna otra cosa.

—Tómate tu tiempo y verás como al segundo intento habrá suerte. Los gringos son muy profesionales, muy perfeccionistas. Si mandan rehacer tres veces una nota de libros, imagínate lo que exigen de un cuento. Oye, el pago no te compromete a nada: puedes meter tu historia en cualquier revista *local*.

—Para qué. No sirvió. Mejor nos olvidamos del asunto... ¿Te quedas?

—Sí, tengo que hacer unas llamadas.

—¿A esta hora? Ya es muy tarde ¿no?

—Tardísimo, pero mientras orbitamos la revista hay que trabajar a marchas forzadas... Andrés, te agradezco mucho que hayas cumplido el encargo y por favor salúdame a Hilda.

–Gracias, Ricardo. Buenas noches.


Salió al pasillo en tinieblas en donde sólo ardían las luces en el tablero del elevador. Tocó el timbre y poco después se abrió la jaula luminosa. Al llegar al vestíbulo le abrió la puerta de la calle un velador soñoliento, la cara oculta tras una bufanda. Andrés regresó a la noche de México. Fue hasta la estación Juárez y bajó a los andenes solitarios.

Abrió el portafolios en busca de algo para leer mientras llegaba el metro. Encontró la única copia al carbón de LA FIESTA BRAVA. La rompió y la arrojó al basurero. Hacía calor en el túnel. De pronto lo bañó el aire desplazado por el convoy que se detuvo sin ruido. Subió, hizo otra vez el cambio en Balderas y tomó asiento en una banca individual. Sólo había tres pasajeros adormilados. Andrés sacó del bolsillo el fajo de dólares, lo contempló un instante y lo guardó en el portafolios. En el cristal de la puerta miró su reflejo impreso por el juego entre la luz del interior y las tinieblas del túnel.

/ Cara de imbécil. / Si en la calle me topara conmigo mismo sentiría un infinito desprecio. / Cómo pude exponerme a una humillación de esta naturaleza. / Cómo voy a explicársela a Hilda. / Todo es siniestro. / Por qué no chocará el metro. / Quisiera morirme. /

Al ver que los tres hombres lo observaban Andrés se dio cuenta de que había hablado casi en voz alta. Desvió la mirada y para ocuparse en algo descorrió el cierre del portafolios y cambió de lugar los dólares.

Bajó en la estación Insurgentes. Los magnavoces anunciaban el último viaje de esa noche. Todas las puertas iban a cerrarse. De paso leyó una inscripción grabada a punta de compás sobre un anuncio de Coca Cola: ASESINOS, NO OLVIDAMOS TLATELOLCO Y SAN COSME. / Debe decir: «*ni* San Cosme», / corrigió Andrés mientras avanzaba hacia la salida. Arrancó el tren que iba en dirección de Zaragoza. Antes de que el convoy adquiriera velocidad, Andrés advirtió entre los pasajeros del último vagón a un hombre de camisa verde y aspecto norteamericano.

El capitán Keller ya no alcanzó a escuchar el grito que se perdió en la boca del túnel. Andrés Quintana se apresuró a subir las escaleras en busca de aire libre. Al llegar a la superficie, con su única mano hábil empujó la puerta giratoria. No pudo ni siquiera abrir la boca cuando lo capturaron los tres hombres que estaban al acecho.

Langerhaus

A Bárbara Bockus Aponte

Cada mañana lo primero que hago es leer el periódico. Si no lo encuentro bajo la puerta me quedo esperando su llegada. El jueves tardó mucho. Fui a comprarlo a la esquina y, según mi costumbre, empecé a leerlo de atrás para adelante. Al dar vuelta a una página supe que Langerhaus había muerto en la autopista a Cuernavaca.

La noticia me resultó aún más impresionante porque la foto, quizá la única hallada en el archivo, correspondía a los tiempos en que Langerhaus y yo fuimos compañeros de clase; la época de sus triunfos en Bellas Artes, cuando deslumbró la maestría con que tocaba el clavecín un niño de doce años.

A cambio de su éxito Langerhaus sufrió mucho en la escuela. Todos parecían odiarlo, remedaban su acento alemán, lo hostilizaban en el recreo por cuantos medios puede inventar la crueldad infantil. (Un día Valle y Morales trataron de prender fuego a su cabello, largo en exceso para aquel entonces.)

Langerhaus era un genio, un niño prodigio. Los

demás no éramos nadie: ¿cómo íbamos a perdonarlo? Al principio, para no aislarme del grupo, fui uno más de sus torturadores. Luego una mezcla de compasión y envidioso afecto me llevó a transformarme en su único amigo. Visité algunos fines de semana su casa y él también fue a la mía. Nuestra amistad se basaba en la diferencia: yo jugaba futbol e iba al cine dos veces por semana, Langerhaus pasaba cinco horas diarias ante el clavecín. Jamás hizo deporte, nunca aprendió a pelear ni a andar en bicicleta, no sabía mecerse de pie en los columpios. Sus padres le prohibieron toda actividad capaz de lastimarle los dedos. Era hijo de un compositor alemán y una pianista suiza llegados a México durante la Segunda Guerra Mundial. Aunque fracasaron en sus grandes aspiraciones artísticas, ganaban bien haciendo música para el cine y las agencias de publicidad.

Ser su amigo me atrajo la hostilidad burlona de nuestros compañeros. En la ceremonia de fin de cursos Langerhaus interpretó una sonata de Bach, fue aclamado de pie por toda la escuela, agradeció el aplauso con una reverencia y cruzó el salón de actos para ir a sentarse junto a mí en una banca del fondo.

–Me he vengado –le escuché decir entre dientes.

Morales, Valle y sus demás perseguidores se acercaron a felicitarlo. En el único acto de valentía que le conocí, Langerhaus los dejó con la mano tendida. Me dispuse a pelear en su defensa. Ellos se retiraron cabizbajos. Langerhaus, en efecto, había cobrado venganza.

Poco después fue a perfeccionarse en un conservatorio europeo. No me escribió ni volví a verlo hasta julio de 1968, cuando los de esa generación escolar ya estábamos cerca de los treinta años. Langerhaus regresó a México durante la Olimpiada Cultural y dio un nuevo concierto en Bellas Artes.

Decepción para todos: El niño prodigio se había convertido en un intérprete mediocre lleno de tics y poses de prima donna. En vez de servir a la música transformaba su presentación en un show de centro nocturno. Fue silbado por un público que casi nunca se atreve a hacerlo y él se soltó a llorar en el escenario. Para no incurrir en la hipocresía de felicitarlo o en la vileza de secundar la condena, al terminar la función huí de Bellas Artes. Además quería alejarme del centro: estaba lleno de granaderos y Morales me dijo en el intermedio que la situación empeoraba: de continuar las manifestaciones, tanques y paracaidistas saldrían a reprimir a los estudiantes.

–Díaz Ordaz –añadió Morales– está dispuesto a todo con tal de que no le echen a perder *sus* Olimpiadas.

En aquella atmósfera violenta los críticos, que a veces son brutales y hablan sin el menor respeto humano, se burlaron de Langerhaus y lo consideraron liquidado. Herido por el rechazo del país en que fue niño y empezó su carrera, Langerhaus abandonó la música para dedicarse (vi los anuncios) a la compraventa de terrenos en Cuernavaca, adonde se refugiaban los que presentían el desastre ya en marcha de la capital.

Durante uno de nuestros cada vez más aislados desayunos en el Continental Hilton lamenté con Valle y Morales lo sucedido. Valle sentenció que la renuncia no le parecía una debilidad más de Langerhaus sino una muestra de que la carrera musical había sido una imposición de sus padres. Como tantos otros, ellos intentaron reparar su fracaso mediante el triunfo de su hijo. La tragedia grotesca de Bellas Artes fue un acto de rebeldía, un modo brutal de liberarse de su padre y su madre y ridiculizarlos, inmolándose a los ojos de todo el mundo como el artista que en el fondo nunca quiso ser Langerhaus.

Más tarde, en otro desayuno, Cisneros afirmó que, a cambio de la catástrofe en Bellas Artes, a nuestro amigo le iba muy bien como fraccionador en Cuernavaca. Para su negocio tenía el apoyo de las inversiones y ahorros de la familia.

Una tarde en 1970 Langerhaus me llamó a la oficina para ofrecerme un lote en una nueva urbanización. Me sorprendió que hablara como si no hubieran pasado tantos años y tantas cosas. No evocamos nuestra amistad infantil ni aludimos al último concierto. Me ofendió que Langerhaus hubiera pensado en su único amigo sólo como en un posible cliente. Las palabras finales que escuché de su boca fueron las que en México disimulan la eterna despedida: «A ver cuándo nos vemos». Los dos sabíamos muy bien que no íbamos a reunirnos jamás.

No quería ir al velorio. Sin embargo me remordió la conciencia y me presenté en Gayosso minutos antes de que partiera el cortejo. Di el pésame a los padres. No me identificaron ni, en esas circunstancias, me pareció prudente decirles que yo había sido aquel niño que iba a su casa con Langerhaus. Me extrañó no hallar a nadie de la escuela y me sentí inhibido por no conocer a ninguno de los doce o quince asistentes al entierro. Todos eran alemanes, suizos o austriacos y sólo hablaban en alemán.

Desde el Panteón Jardín se advierte el cerco de montañas que vuelve tan opresiva a esta ciudad. El Ajusco se ve muy próximo y sombrío. Una tormenta se gestaba en la cima. Mientras bajaban a la tierra el ataúd de metal, el viento trajo las primeras gotas de lluvia. Cuando la fosa quedó sellada, abracé de nuevo a los padres de Langerhaus y volví a la oficina.


Lo extraño comenzó al lunes siguiente. Morales acababa de ser nombrado subsecretario en el nuevo gabinete. El hecho reanudó los lazos perdidos y, bajo el disfraz de la nostalgia, suscitó entre los antiguos condiscípulos esperanza de mejoría y buenos negocios.

Por lo que a mí respecta, el nombramiento me alegró. Trabajo en la fábrica de mi padre, no aspiro a ningún puesto en el gobierno, conozco a Morales desde el kínder y nos reunimos dos o tres veces por año. De todos modos pensé: la gente de mi edad llega al poder como una concesión a esa juventud que se rebeló en 1968 y a la que ya no pertenecemos. Es decir, escala posiciones sobre los muertos del 2 de octubre en Tlatelolco. Desde luego ninguno de nosotros participó en el movimiento. Sus líderes estaban en la cárcel o en el exilio. Los políticos del viejo estilo habían sufrido un desprestigio irreparable. Empezaba la hora de los economistas: Morales era el adelantado de la generación que conduciría al país hacia el siglo XXI.

Cisneros me llamó para invitarme una cena en honor del nuevo funcionario. Casi al despedirme le dije:

–¿Supiste que murió Langerhaus?

–¿Quién?

–Langerhaus. El músico. Estuvo con nosotros en secundaria. No vayas a decirme que no te acuerdas. Si hasta me comentaste el año pasado lo mucho que ganaba como fraccionador en Cuernavaca.

–¿Cómo dices que se llamaba...? No, ni idea. Ese señor no figura en la lista de invitados. La hicimos con base en los anuarios de la escuela. Por cierto, ahora al hablarles para la reunión, supe que algunos de nosotros han muerto.

*«Algunos de nosotros han muerto.»* La construcción gramatical me sorprendió. Enseguida pensé: «No, ¿cómo podría haber dicho Cisneros: *«Algunos de nosotros hemos muerto»*. Ese *nosotros* es un descuido o una abreviatura afectuosa. Significa: *«Supe que algunos de nuestros compañeros han muerto»*.

–¿Estás ahí? –preguntó al advertir mi silencio.

En vez de hablarle de mi desconcierto le dije:

–Cisneros, cómo no te vas a acordar. Langerhaus era el más notable de todos: un clavecinista, un niño prodigio.

–¿Un clavecinista? En nuestro grupo lo único parecido a un músico eras tú porque medio tocabas la guitarra. ¿No es cierto?

–Bueno, haz memoria. Ya recordarás. Gracias por invitarme. Nos vemos.

–Te esperamos el viernes.

«¿*Te esperamos*?» ¿Quiénes?, me pregunté. ¿El *nosotros* me excluye ahora? Qué estupidez. Desde cuándo me he vuelto gramático y vigilo cómo hablan los demás. Por supuesto *nosotros* quiere decir: «*Tú eres de los nuestros. Los demás compañeros de Morales y yo te esperamos el viernes*».


La cena fue deprimente. Morales ya era distinto al amigo con quien desayuné por tantos años en el Continental Hilton o en el Hotel del Prado. Ahora representaba el papel del Señor Subsecretario que se muestra sencillo y cordial con un grupo útil para sus ambiciones. Lo elogiamos sin recato como si nos hubiéramos puesto de acuerdo. Él nos observaba con sus ojillos irónicos de siempre. Acaso trataba de ajustar nuestra declinante imagen al rostro que tuvimos de niños.

Estaba a punto de concluir la reunión cuando Valle fue a hablar por teléfono y me atreví a sentarme en su sitio junto a Morales.

–¿Qué te pareció lo de Langerhaus? Terrible, ¿no?

–¿Langer qué? ¿De quién me estás hablando, Gerardo?

–De Langerhaus, un compañero nuestro. Cómo es posible que no te acuerdes. Si hasta lo agarraste de puerquito. Tú y el miserable de Valle lo traían asoleado. Una vez trataron de incendiarle el pelo. Lo llevaba muy largo, era como un antecesor de los jipis.

–Oye, siempre he tenido buena memoria, pero esta vez sí te juro...

–No te hagas: estuviste en su concierto del sesenta y ocho y entonces te acordabas muy bien. Después comentamos en un desayuno la catástrofe de Bellas Artes. Valle sugirió una teoría que nos pareció muy acertada.

–¿En el sesenta y ocho? ¿Cuál concierto? Gerardo, ¡por favor! En esas condiciones y con el puesto que ocupaba en el PRI ¿crees que tenía ganas de ir a conciertos?

Regresó Valle. Al encontrarme en su lugar se quedó de pie junto a Morales:

–¿Ya te está pidiendo chamba Gerardo?

–No, me pregunta por un muerto. Dice que en la secundaria tú y yo no dejábamos en paz a... ¿cómo dices que se llamaba?

–Langerhaus.

–No lo conozco, no sé quién es.

Repetí la historia. Valle y Morales cruzaron miradas, insistieron en que no recordaban a nadie de ese nombre y con esas características. Llamé a Cisneros.

Se intrigó, pidió silencio e hizo un resumen del caso. Todos negaron que hubiera habido entre nosotros alguien llamado Langerhaus. Valle trató de lucir su falsa erudición como siempre:

–Además ese apellido no existe en alemán.

–No cambias –me dijo condescendiente el subsecretario–. Sigues inventándote cosas. Cuándo tomarás algo en serio.

–De verdad es en serio: leí la noticia en el *Excélsior*, vi la foto, la esquela. Estuve en el entierro.

–Eso no tiene nada que ver –comentó Cisneros–. El tipo jamás formó parte de nuestro grupo. Lo conociste en algún otro lado.

–¿Cómo íbamos a olvidarnos de alguien así? A fuerza alguien más tendría que acordarse de él –añadió Valle–. ¿Para qué inventas, Gerardo? No le veo el objeto a esta broma y menos ahora cuando estamos celebrando la llegada de nuestra generación al poder.

–Si te impresionó tanto la muerte de ese fulano –dijo Riquelme– bien pudiste haber traído el recorte.

–Pensé que todos lo habían visto. Además no guardo periódicos. No quiero llenarme de papeles.

–Bueno, muchas gracias por la cena y por la reunión. Estuvo muy agradable. Y ahora me perdonan: tengo que irme. Mañana muy temprano salgo de gira con el Señor Presidente –Morales se despidió de cada uno con un abrazo y una palmadita en el hombro. Seguimos bebiendo, hablamos de otros temas.

–¿Y Tere? –me preguntó Arredondo en un aparte de la conversación general.

—No sé, no he vuelto a verla.

—¿A poco no supiste que se casó?

—¿Sí? ¿Con quién?

—Con un judío millonario. Vive en el Pedregal.

—Ah, no sabía. Qué importa.

—Bien que te duele, bien que te duele.

—No, hombre, eso ya pasó.

Me levanté. Con la seguridad que me daban el vino y el coñac volví al lado de Cisneros:

—No van a hacerme creer que estoy loco. Apostamos lo que quieras.

—Ya que insistes, de acuerdo —respondió—, aunque me parece un robo en despoblado. Ese señor no exis... no estuvo nunca entre nosotros. Mira, podemos comprobarlo en los anuarios de la escuela.

—No los tengo: se me perdieron en una mudanza.

—Deja a este loquito y vámonos por ahí a ver adónde.

Valle estaba ebrio; Arredondo tuvo que ayudarlo a incorporarse.

—No, ya me intrigó —dijo Cisneros.

—Bueno, pues quédense. Nosotros seguimos la juerga.

Cisneros y yo pagamos lo que nos correspondía y en su automóvil fuimos a su casa. En el trayecto de la Zona Rosa a la colonia Roma hablamos mal de nuestros amigos: resulta muy triste ver de nuevo a las personas de otras épocas; nadie vuelve a ser el mismo jamás. En cambio la casa me pareció igual a la que recordaba entre brumas. Sobrevivía entre nuevos edificios horrendos y lotes de estacionamiento. Encontré sin cambios el interior. Cisneros aún dormía en la buhardilla como cuando éramos niños.

–¿Y tu esposa?

–Se fue de compras a San Antonio con las tres hijas.

–Menos mal. Me hubiera dado pena molestarlas. Es muy tarde.

–No hay nadie, no te preocupes.

Abrió un estante. Todo en orden, igual que cuando estudiábamos juntos para los exámenes finales. En segundos encontró los anuarios, eligió el de 1952, lo abrió y me señaló la página correspondiente a Primero B: lista de alumnos, foto del grupo, cuadro de honor para los alumnos distinguidos:

–Ya puedes firmarme el cheque, Gerardo. Mira, aquí está la ele: Labarga, Landa. Luna... y Macías... ¿Viste? Como te advertí no hay ningún Langernada. Lo que es más: en Primero B no figura nadie de apellido extranjero.

–Imposible. Me acuerdo perfectamente de este anuario. Fíjate en el retrato del grupo. Te lo digo sin necesidad de volver a mirarlo: Langerhaus está en segunda fila entre Aranda y Ortega.

–Gerardo: entre Aranda y Ortega estás tú, con un corte *a la brush* por añadidura. Ni uno solo lleva el pelo largo. En esa época nadie se imaginaba que volvería a usarse.

–Tienes razón: no es él, no está... No entiendo, me parece imposible haber inventado todo esto. Es una broma ¿verdad? Un jueguito cruel de los que siempre se te ocurrían. Tú, Morales y Valle quieren seguir divirtiéndose a mi costa. Este anuario es una falsificación: lo hiciste en tu imprenta.

–Gerardo, cómo crees. Aparte de que el chiste saldría carísimo, ¿de dónde hubiéramos sacado las fotos, la tinta sepia que ya no se produce, el papel que hace años dejó de usarse? Después de todo, tú comenzaste, ¿no es así?

–Dame otra oportunidad. El dinero no importa: pago la apuesta pero dame otra oportunidad.

–¿Cuál?

–El periódico.

–No prueba nada.

–Cuando menos demuestra que no estoy loco y en efecto murió alguien llamado Langerhaus... Por desgracia, cada fin de semana me deshago del papel viejo. No soporto la acumulación. Siento que me asfixia.

–No te preocupes: tengo los periódicos. A mi señora le da por la moda ecológica y los junta para reciclarlos a fin de mes. ¿Recuerdas la fecha?

–Cómo no me voy a acordar: jueves de la semana pasada.

Bajamos. Cisneros halló en el garash el ejemplar de *Excélsior* que buscábamos, dio con la página y leímos los encabezados: «El atraco a una mujer frente a un banco movilizó a la policía». «Capturaron a un ladrón y homicida prófugo.» «En presencia de sus invitados se hizo el harakiri.» «Comandante del Servicio

Secreto acusado de abuso de autoridad, amenazas y extorsión.»

No había ningún retrato de Langerhaus, ninguna noticia de un accidente en la autopista a Cuernavaca. Las únicas fotos eran de un autobús de la línea México-Xochimilco que estuvo a punto de precipitarse en el viaducto del río de La Piedad y de la señora Felícitas Valle González, extraviada al salir de su casa rumbo a la estación de Buenavista.

Hojeé de atrás para adelante todos los diarios de la semana, revisamos las esquelas fúnebres.

–Vamos a la agencia Gayosso –apremié a Cisneros–. Langerhaus tiene que estar en el registro. Yo asistí al velorio y abracé a los padres en la capilla ardiente.

–Bueno, mañana debo presentarme a las siete en la imprenta. Pero ya me intrigaste y apostamos... No me explico, de verdad no me explico.

En la funeraria unos cuantos billetes doblegaron la hosquedad del encargado. Nos mostró los archivos y no encontramos a nadie que se llamara Langerhaus. A pesar de la hora sugerí hablarles por teléfono a los padres. El empleado nos facilitó el directorio.

–Mira –dijo Cisneros y me leyó–: Lange, Langebeck, Langenbach, Langer, Langerman, Langescheid, Lanhoff, Langhorst... Nada otra vez... Gerardo, ¿recuerdas dónde estaba su casa? Tal vez los padres sigan allí.

–Vivía en Durango y Frontera, en un edificio demolido hace muchos años... No queda más remedio que emprender el viaje al Panteón Jardín.

Cisneros estaba lívido:

—Mejor hasta aquí llegamos. No me está gustando nada todo este asunto.

—Imagínate lo que me gustará a mí. Pero apostamos. Yo cumplo mis compromisos: voy a firmarte el cheque.

—Déjalo, por favor. Otro día. La próxima vez que nos reunamos.


Sin hablar una palabra Cisneros me llevará hasta el estacionamiento en que guardé mi coche. Nos despediremos. Manejaré hasta la casa en donde vivo solo. Subiré a mi cuarto. Antes de acostarme tomaré un somnífero. Dormiré una hora o dos. La música me despertará. Pensaré: he dejado encendida la radio en alguna parte. Sin embargo la música llegará desde la sala en tinieblas, la inconfundible música del clavecín de mi infancia, la sonata de Bach cada vez más próxima ahora que bajo las escaleras temblando.

Tenga para que se entretenga

A Ignacio Solares

*Estimado señor: Le envío el informe confidencial que me pidió. Incluyo un recibo por mis honorarios. Le ruego se sirva cubrirlos mediante cheque o giro postal. Confío en que el precio de mis servicios le parezca justo. El informe salió más largo y detallado de lo que en un principio supuse. Tuve que redactarlo varias veces para lograr cierta claridad ante lo difícil y aun lo increíble del caso. Reciba los atentos saludos de*

*Ernesto Domínguez Puga*
*Detective Privado*
*Palma 10, despacho 52*

*México, Distrito Federal, sábado 5 de mayo de 1972.*

INFORME CONFIDENCIAL

El 9 de agosto de 1943 la señora Olga Martínez de Andrade y su hijo de seis años, Rafael Andrade Martínez, salieron de su casa (Tabasco 106, colonia Roma).

293

Iban a almorzar con doña Caridad Acevedo viuda de Martínez en su domicilio (Gelati 36 bis, Tacubaya). Ese día descansaba el chofer. El niño no quiso viajar en taxi: le pareció una aventura ir como los pobres en tranvía y autobús. Se adelantaron a la cita y a la señora Olga se le ocurrió pasear a su hijo por el cercano Bosque de Chapultepec.

Rafael se divirtió en los columpios y resbaladillas del Rancho de la Hormiga, atrás de la residencia presidencial (Los Pinos). Más tarde fueron por las calzadas hacia el lago y descansaron en la falda del cerro.

Llamó la atención de Olga un detalle que hoy mismo, tantos años después, pasa inadvertido a los transeúntes: los árboles de ese lugar tienen formas extrañas, se hallan como aplastados por un peso invisible. Esto no puede atribuirse al terreno caprichoso ni a la antigüedad. El administrador del Bosque informó que no son árboles vetustos como los ahuehuetes prehispánicos de las cercanías: datan del siglo XIX. Cuando actuaba como emperador de México, el archiduque Maximiliano ordenó sembrarlos en vista de que la zona resultó muy dañada en 1847, a consecuencia de los combates en Chapultepec y el asalto del Castillo por las tropas norteamericanas.

El niño estaba cansado y se tendió de espaldas en el suelo. Su madre tomó asiento en el tronco de uno de aquellos árboles que, si usted me lo permite, calificaré de sobrenaturales. Pasaron varios minutos. Olga sacó su reloj, se lo acercó a los ojos, vio que ya eran las dos de la tarde y debían irse a casa de la abuela. Rafael le suplicó que lo dejara un rato más. La señora aceptó de mala gana, inquieta porque en el camino se habían cruzado con varios aspirantes a torero quienes, ya desde entonces, practicaban al pie de la colina en un estanque seco, próximo al sitio que se asegura fue el baño de Moctezuma.

A la hora del almuerzo el Bosque había quedado desierto. No se escuchaba rumor de automóviles en las calzadas ni trajín de lanchas en el lago. Rafael se entretenía en obstaculizar con una ramita el paso de un caracol. En ese instante se abrió un rectángulo de madera oculto bajo la hierba rala del cerro y apareció un hombre que dijo a Rafael:

–Déjalo. No lo molestes. Los caracoles no hacen daño y conocen el reino de los muertos.

Salió del subterráneo, fue hacia Olga, le tendió un periódico doblado y una rosa con un alfiler:

–Tenga para que se entretenga. Tenga para que se la prenda.

Olga dio las gracias, extrañada por la aparición del hombre y la amabilidad de sus palabras. Lo creyó un vigilante, un guardián del Castillo, y de momento no reparó en su vocabulario ni en el olor a humedad que se desprendía de su cuerpo y su ropa.

Mientras tanto Rafael se había acercado al desconocido y le preguntaba:

–¿Ahí vives?

–No: más abajo, más adentro.

–¿Y no tienes frío?

–La tierra en su interior está caliente.

–Llévame a conocer tu casa. Mamá, ¿me das permiso?

–Niño, no molestes. Dale las gracias al señor y vámonos ya: tu abuelita nos está esperando.

–Señora, permítale asomarse. No lo deje con la curiosidad.

–Pero, Rafaelito, ese túnel debe de estar muy oscuro. ¿No te da miedo?

–No, mamá.

Olga asintió con gesto resignado. El hombre tomó de la mano a Rafael y dijo al empezar el descenso:

–Volveremos. Usted no se preocupe. Sólo voy a enseñarle la boca de la cueva.

–Cuídelo mucho, por favor. Se lo encargo.


Según el testimonio de parientes y amigos, Olga fue siempre muy distraída. Por tanto, juzgó normal la curiosidad de su hijo, aunque no dejaron de sorprenderla el aspecto y la cortesía del vigilante. Guardó la flor y desdobló el periódico. No pudo leerlo. Apenas tenía veintinueve años pero desde los quince necesitaba lentes bifocales y no le gustaba usarlos en público.

Pasó un cuarto de hora. El niño no regresaba. Olga se inquietó y fue hasta la entrada de la caverna subterránea. Sin atreverse a penetrar en ella, gritó con la esperanza de que Rafael y el hombre le contestaran. Al no obtener respuesta bajó aterrorizada hasta el estanque seco. Dos aprendices de torero se adiestraban allí. Olga les informó de lo sucedido y les pidió ayuda.

Volvieron al lugar de los árboles extraños. Los torerillos cruzaron miradas al ver que no había ninguna cueva, ninguna boca de ningún pasadizo. Buscaron a gatas sin hallar el menor indicio. No obstante, en manos de Olga estaban la rosa, el alfiler, el periódico –y en el suelo el caracol y la ramita.

Cuando Olga cayó presa de un auténtico shock, los torerillos entendieron la gravedad de lo que en principio habían juzgado una broma o una posibilidad de aventura. Uno de ellos corrió a avisar por teléfono desde un puesto a orillas del lago. El otro permaneció al lado de Olga e intentó calmarla.


Veinte minutos después se presentó en Chapultepec el ingeniero Andrade, esposo de Olga y padre de Rafael. Enseguida aparecieron los vigilantes del Bosque, la policía, la abuela, los parientes, los amigos y desde luego la multitud de curiosos que siempre parece estar invisiblemente al acecho en todas partes y se materializa cuando sucede algo fuera de lo común.

El ingeniero tenía grandes negocios y estrecha amistad con el general Maximino Ávila Camacho. Modesto especialista en resistencia de materiales cuando gobernaba el general Lázaro Cárdenas, Andrade se había vuelto millonario en el nuevo régimen gracias a las concesiones de carreteras y puentes que le otorgó don Maximino. Como usted recordará, el hermano del presidente Manuel Ávila Camacho era el secretario de Comunicaciones, la persona más importante del gobierno y el hombre más temido de México. Bastó una orden suya para movilizar a la mitad de todos los efectivos policiales de la capital, cerrar el Bosque, detener e interrogar a los torerillos. Uno de sus ayudantes irrumpió en Palma 10 y me llevó a Chapultepec en un automóvil oficial. Dejé todo para cumplir con la orden de Ávila Camacho. Yo acababa de hacerle servicios de la índole más reservada y me honra el haber sido digno de su confianza.

Cuando llegué a Chapultepec hacia las cinco de la tarde, la búsqueda proseguía sin que se hubiese encontrado ninguna pista. Era tanto el poder de don Maximino que en el lugar de los hechos se hallaban para dirigir la investigación el general Miguel Z. Martínez, jefe de la policía capitalina, y el coronel José Gómez Anaya, director del Servicio Secreto.

Agentes y uniformados trataron, como siempre, de impedir mi labor. El ayudante dijo a los superiores el nombre de quien me ordenaba hacer una investigación paralela. Entonces me dejaron comprobar que en la tierra había rastros del niño, no así del hombre que se lo llevó.

El administrador del Bosque aseguró no tener conocimiento de que hubiera cuevas o pasadizos en Chapultepec. Una cuadrilla excavó el sitio en donde

Olga juraba que había desaparecido su hijo. Sólo encontraron cascos de metralla y huesos muy antiguos. Por su parte, el general Martínez declaró a los reporteros que la existencia de túneles en México era sólo una más entre las muchas leyendas que envuelven el secreto de la ciudad. La capital está construida sobre el lecho de un lago; el subsuelo fangoso vuelve imposible esta red subterránea: en caso de existir se hallaría anegada.

La caída de la noche obligó a dejar el trabajo para la mañana siguiente. Mientras se interrogaba a los torerillos en los separos de la Inspección, acompañé al ingeniero Andrade a la clínica psiquiátrica de Mixcoac donde atendían a Olga los médicos enviados por Ávila Camacho. Me permitieron hablar con ella y sólo saqué en claro lo que consta al principio de este informe.


Por los insultos que recibí en los periódicos no guardé recortes y ahora lo lamento. La radio difundió la noticia, los vespertinos ya no la alcanzaron. En cambio los diarios de la mañana desplegaron en primera plana y a ocho columnas lo que a partir de entonces fue llamado «El misterio de Chapultepec».

Un pasquín ya desaparecido se atrevió a afirmar que Olga tenía relaciones con los dos torerillos. Chapultepec era el escenario de sus encuentros. El niño resultaba el inocente encubridor que al conocer la verdad tuvo que ser eliminado.

Otro periódico sostuvo que hipnotizaron a Olga y la hicieron creer que había visto lo que contó. En realidad el niño fue víctima de una banda de «robachicos». (El término, traducido literalmente de *kidnappers*, se puso de moda en aquellos años por el gran número de secuestros que hubo en México durante la Segunda Guerra Mundial.) Los bandidos no tardarían en pedir rescate o en mutilar a Rafael para obligarlo a la mendicidad.

Aún más irresponsable, cierta hoja inmunda engañó a sus lectores con la hipótesis de que Rafael fue capturado por una secta que adora dioses prehispánicos y practica sacrificios humanos en Chapultepec. (Como usted sabe, Chapultepec fue el bosque sagrado de los aztecas.) Según los miembros de la secta, la cueva oculta en este lugar es uno de los ombligos del planeta y la entrada al inframundo. Semejante idea parece basarse en una película de Cantinflas, *El signo de la muerte*.

En fin, la gente halló un escape de la miseria, las tensiones de la guerra, la escasez, la carestía, los apagones preventivos contra un bombardeo aéreo que por fortuna *no llegó* jamás, el descontento, la corrupción, la incertidumbre... Y durante algunas semanas se apasionó por el caso. Después todo quedó olvidado para siempre.


Cada uno piensa distinto, cada cabeza es un mundo y nadie se pone de acuerdo en nada. Era un secreto a voces que para 1946 don Maximino ambicionaba suceder a don Manuel en la presidencia. Sus adversarios aseguraban que no vacilaría en recurrir al golpe militar y al fratricidio. Por tanto, de manera inevitable se le dio un sesgo político a este embrollo: a través de un semanario de oposición, sus enemigos civiles difundieron la calumnia de que don Maximino había ordenado el asesinato de Rafael con objeto de que el niño no informara al ingeniero Andrade de las relaciones que su protector sostenía con Olga.

El que escribió esa infamia amaneció muerto cerca de Topilejo, en la carretera de Cuernavaca. Entre su ropa se halló una nota de suicida en que el periodista manifestaba su remordimiento, hacía el elogio de Ávila Camacho y se disculpaba ante los Andrade. Sin embargo la difamación encontró un terreno fértil, ya que don Maximino, personaje extraordinario, tuvo un gusto proverbial por las llamadas «aventuras». Además, la discreción, el profesionalismo, el respeto a su dolor y a sus actuales canas me impidieron decirle antes a usted que en 1943 Olga era bellísima, tan hermosa como las estrellas de Hollywood pero sin la intervención del maquillista ni el cirujano plástico.


Tan inesperadas derivaciones tenían que encontrar un hasta aquí. Gracias a métodos que no viene al caso describir, los torerillos firmaron una confesión que aclaró las dudas y acalló la maledicencia. Según consta en actas, el 9 de agosto de 1943 los adolescentes aprovechan la soledad del Bosque a las dos de la tarde y la mala vista de Olga para montar la farsa de la cueva y el vigilante misterioso. Enterados de la fortuna del ingeniero (Andrade había hecho esfuerzos por ocultarla), se proponen llevarse al niño y exigir un rescate que les permita comprar su triunfo en las plazas de toros. Luego, atemorizados al saber que pisan terrenos del implacable hermano del presidente, los torerillos enloquecen de miedo, asesinan a Rafael, lo descuartizan y echan sus restos al Canal del Desagüe.

La opinión pública mostró credulidad y no exigió que se puntualizaran algunas contradicciones. Por ejemplo, ¿qué se hizo de la caverna subterránea por la que desapareció Rafael? ¿Quién era y en dónde se ocultaba el cómplice que desempeñó el papel de guardia? ¿Por qué, de acuerdo con el relato de su madre, fue el propio niño quien tuvo la iniciativa de entrar en el pasadizo? Y sobre todo, ¿a qué horas pudieron los torerillos destazar a Rafael y arrojar sus despojos a las aguas negras –situadas en su punto más próximo a unos veinte kilómetros de Chapultepec– si, como antes he dicho, uno llamó a la policía y al ingeniero Andrade, el otro permaneció al lado de Olga y ambos estaban en el lugar de los hechos cuando llegaron la familia y las autoridades?

Pero al fin y al cabo todo en este mundo es misterioso. No hay ningún hecho que pueda ser aclarado satisfactoriamente. Como tapabocas se publicaron fotos de la cabeza y el torso de un muchachito, vestigios extraídos del Canal del Desagüe. Pese a la avanzada descomposición, era evidente que el cadáver correspondía a un niño de once o doce años, y no de seis como Rafael. Esto sí no es problema: en México siempre que se busca un cadáver se encuentran muchos otros en el curso de la pesquisa.

Dicen que la mejor manera de ocultar algo es ponerlo a la vista de todos. Por ello y por la excitación del caso y sus inesperadas ramificaciones, se disculpará que yo no empezara por donde procedía: es decir, por interrogar a Olga acerca del individuo que capturó a su hijo. Es imperdonable –lo reconozco– haber considerado normal que el hombre le entregara una flor y un periódico y no haber insistido en examinar estas piezas.

Tal vez un presentimiento de lo que iba a encontrar me hizo posponer hasta lo último el verdadero interrogatorio. Cuando me presenté en la casa de Tabasco 106 los torerillos, convictos y confesos tras un juicio sumario, ya habían caído bajo los disparos de la ley fuga: en Mazatlán intentaron escapar de la *cuerda* en que iban a las Islas Marías para cumplir una condena de treinta años por secuestro y asesinato. Y ya todos, menos los padres, aceptaban que los restos hallados en las aguas negras eran los del niño Rafael Andrade Martínez.

Encontré a Olga muy desmejorada, como si hubiera envejecido varios años en unas cuantas semanas. Aún con la esperanza de recobrar a su hijo, se dio fuerzas para contestarme. Según mis apuntes taquigráficos, la conversación fue como sigue:

–Señora Andrade, en la clínica de Mixcoac no me pareció oportuno preguntarle ciertos detalles que ahora considero indispensables. En primer lugar ¿cómo vestía el hombre que salió de la tierra para llevarse a Rafael?

–De uniforme.

–¿Uniforme militar, de policía, de guardabosques?

–No, es que, sabe usted, no veo bien sin mis lentes. Pero no me gusta ponérmelos en público. Por eso pasó todo, por eso...

–Cálmate –intervino el ingeniero Andrade cuando su esposa comenzó a llorar.

–Perdone, no me contestó usted: ¿cómo era el uniforme?

–Azul, con adornos rojos y dorados. Parecía muy desteñido.

–¿Azul marino?

–Más bien azul claro, azul pálido.

–Continuemos. Apunté en mi libreta las palabras que le dijo el hombre al darle el periódico y la flor: «Tenga para que se entretenga. Tenga para que se la prenda». ¿No le parecen muy extrañas?

–Sí, rarísimas. Pero no me di cuenta. Qué estúpida. No me lo perdonaré jamás.

–¿Advirtió usted en el hombre algún otro rasgo fuera de lo común?

–Me parece estar oyéndolo: hablaba muy despacio y con acento.

—¿Acento regional o como si el español no fuera su lengua?

—Exacto: como si el español no fuera su lengua.

—Entonces ¿cuál era su acento?

—Déjeme ver... quizá... como alemán.

El ingeniero y yo nos miramos. Había muy pocos alemanes en México. Eran tiempos de guerra, no se olvide, y los que no estaban concentrados en el Castillo de Perote vivían bajo sospecha. Ninguno se hubiera atrevido a meterse en un lío semejante.

—¿Y él? ¿Cómo era él?

—Alto... sin pelo... Olía muy fuerte... como a humedad.

—Señora Olga, disculpe el atrevimiento, pero si el hombre era tan estrafalario ¿por qué dejó usted que Rafaelito bajara con él a la cueva?

—No sé, no sé. Por tonta, porque él me lo pidió, porque siempre lo he consentido mucho. Nunca pensé que pudiera ocurrirle nada malo... Espere, hay algo más: cuando el hombre se acercó vi que estaba muy pálido... ¿Cómo decirle...? Blancuzco... Eso es: como un caracol... un caracol fuera de su concha.

—Válgame Dios. Qué cosas se te ocurren —exclamó el ingeniero Andrade. Me estremecí. Para fingirme sereno enumeré:

—Bien, conque decía frases poco usuales, hablaba con acento alemán, llevaba uniforme azul pálido, olía mal y era fofo, viscoso. ¿Gordo, de baja estatura?

—No, señor, todo lo contrario: muy alto, muy delgado... Ah, además tenía barba.

–¿Barba? Pero si ya nadie usa barba –intervino el ingeniero Andrade.

–Pues él tenía –afirmó Olga.

Me atreví a preguntarle:

–¿Una barba como la de Maximiliano de Habsburgo, partida en dos sobre el mentón?

–No, no. Recuerdo muy bien la barba de Maximiliano. En casa de mi madre hay un cuadro del emperador y la emperatriz Carlota... No, señor, él no se parecía a Maximiliano. Lo suyo eran más bien mostachos o patillas... como grises o blancas... no sé.

La cara del ingeniero reflejó mi propio gesto de espanto. De nuevo quise aparentar serenidad y dije como si no tuviera importancia:

–¿Me permite examinar la revista que le dio el hombre?

–Era un periódico, creo yo. También guardé la flor y el alfiler en mi bolsa. Rafael, ¿no te acuerdas de qué bolsa llevaba?

–La recogí en Mixcoac y luego la guardé en tu ropero. Estaba tan alterado que no se me ocurrió abrirla.

Señor, en mi trabajo he visto cosas que horrorizarían a cualquiera. Sin embargo nunca había sentido ni he vuelto a sentir un miedo tan terrible como el que me dio cuando el ingeniero Andrade abrió la bolsa y nos mostró una rosa negra marchita (no hay en este mundo rosas negras), un alfiler de oro puro muy desgastado y un periódico amarillento que casi se deshizo cuando lo abrimos. Era *La Gaceta del Imperio,* con fecha del 2 de octubre de 1866. Más tarde nos enteramos de que sólo existe otro ejemplar en la Hemeroteca.

El ingeniero Andrade, que en paz descanse, me hizo jurar que guardaría el secreto. El general Maximino Ávila Camacho me recompensó sin medida y me exigió olvidarme del asunto. Ahora, pasados tantos años, confío en usted y me atrevo a revelar –a nadie más he dicho una palabra de todo esto– el auténtico desenlace de lo que llamaron los periodistas «El misterio de Chapultepec». (Poco después la inesperada muerte de don Maximino iba a significar un nuevo enigma, abrir el camino al gobierno civil de Miguel Alemán y terminar con la época de los militares en el poder.)

Desde entonces hasta hoy, sin fallar nunca, la señora Olga Martínez viuda de Andrade camina todas las mañanas por el Bosque de Chapultepec hablando a solas. A las dos en punto de la tarde se sienta en el tronco vencido del mismo árbol, con la esperanza de que algún día la tierra se abrirá para devolverle a su hijo o para llevarla, como los caracoles, al reino de los muertos. Pase usted por allí y la encontrará con el mismo vestido que llevaba el 9 de agosto de 1943: sentada en el tronco, inmóvil, esperando, esperando.

Cuando salí de La Habana, válgame Dios

A Salvador Barros,
*in memoriam*

Yo estaba nada más de paso en Cuba como representante que soy, o era, de la Ferroquina Cunningham, aquella tarde en la quinta del senador junto al río Almendares tomábamos el fresco después del almuerzo, me había firmado un pedido inmenso, él tiene la concesión de todas las boticas en La Habana, es amigo íntimo del presidente Gómez y socio en el Ferrocarril de Júcaro y el periódico *El Triunfo,* cuando llegaron a avisarle, Dios mío, en Oriente se han sublevado los negros de los ingenios azucareros, van a echar al agua a todos los blancos, a degollarlos, a destriparlos, qué horror;

tengo miedo, dije, ahora mismo me voy, el senador insultó a los negros, ya son libres, qué más quieren, no se conforman con nada, además escogen para rebelarse precisamente hoy, décimo aniversario de la República, luego intentó calmarme, aseguró que el Tiburón, es decir el general Gómez, iba a someterlos en unas cuantas horas y, en el caso remoto de que fallara, tropas norteamericanas desembarcarían para proteger vidas y haciendas;

pero no me convenció, no soy hombre de guerra, el chofer del senador me llevó al hotel, hice las maletas, pagué la cuenta y llamé por teléfono a la agencia naviera, el único barco que sale ahora va para México, pero si acabo de llegar de México, bueno, no importa, doy lo que sea, ¿zarpa a las seis, pago a bordo, me aceptan un cheque?;

en el muelle otros negros cantaban, cargaban azúcar, ¿lo sabrían, iban a sublevarse también?, al fin trajeron mi equipaje, una lancha me llevó con otros pasajeros hasta el trasatlántico y subí por la escala colgante al gran barco;

qué alegría estar a salvo en un camarote del *Churruca*, no hay como estos vapores de la Compañía Trasatlántica Española, además sirven excelente comida, siento mucho no haberme despedido de quienes fueron tan amables conmigo, menos mal que organizado como soy terminé el día anterior mis asuntos, en cuanto lo abran iré al despacho telegráfico para enviar un mensaje inalámbrico a Mister Cunningham, debo explicarle por qué salí de La Habana, aunque ya sabrá todo, en Nueva York se interesan mucho por Cuba;

pasado un rato, me asfixio entre estas cuatro paredes, subo a cubierta, suena la sirena, levan el ancla, brillan las fortalezas de La Cabaña y El Morro, todo parece en calma, quién diría que al otro lado de la isla los negros matan, violan, saquean, las torres de Catedral se alejan, las casas del Malecón se borran, por un instante El Vedado aparece color de rosa, jardines, balnearios, palmeras, disminuyen, se vuelven como un dibujo chino en un grano de arroz, las aguas cambian de color, se oscurecen, nos hundimos en la curva del mar;

a bordo del *Churruca* la gente parece triste, sólo Dios sabe qué va a pasar en Cuba, toca la orquesta esa habanera tan melancólica, *La paloma,* según mi madre la predilecta de Maximiliano y Carlota cuando eran emperadores de México, pobre Maximiliano, pobre Carlota, sobre todo ella, muerta en vida, esperando, sin darse cuenta de que han pasado los años, sí, *La paloma,* mi madre me la cantaba en mi cuna, «Cuando salí de La Habana, válgame Dios, / nadie me ha visto salir si no fui yo»;

entre los pasajeros no hay ningún conocido, vuelvo al camarote, espero la cena, mientras tanto fumo un H. Upmann y termino *La isla de los pingüinos,* gran escritor Anatole France, estoy a punto de quedarme dormido, vienen a cobrarme el pasaje, ¿cuándo llegaremos a Veracruz?, en menos de tres días si hay buen tiempo, responden;

por la noche miro hacia abajo desde la cubierta, las olas se ven temibles al romperse en el costado del barco, si le tengo miedo a una sublevación cuánto más temeré un naufragio, serio inconveniente para alguien que debe ir de un país a otro de Sudamérica con muestras, almanaques y catálogos de los laboratorios Cunningham, y en qué lo voy a hacer si no en barco, por fortuna los de la Trasatlántica Española son los más cómodos y seguros del mundo;

lo mismo opina el matrimonio que me toca a la

mesa, unos noruegos muy agradables aunque no demasiado conversadores, ya que no sé francés y ellos hablan inglés británico y casi nada de español, sólo puedo mencionarles dos obras de Ibsen que he visto en Broadway, *Espectros* y *Casa de muñecas*, y preguntarles si su capital, Cristianía, es tan gélida como San Petersburgo, acerca de ella sé un poco, Dav, mi vecino en la Calle 55, es un exiliado enemigo del zar;

el nombre del barco les parece incomprensible a los noruegos, gracias a que leí una novela de Galdós me luzco, les digo, Churruca fue el almirante español que en 1805 perdió la batalla de Trafalgar contra Horatio Nelson, una bala de cañón le arrancó una pierna, Churruca siguió dirigiendo sus naves con el cuerpo metido en un barril de harina para frenar la hemorragia, se desangró pero murió de pie como un héroe, yo al verme así me hubiera dado un balazo, por increíble que parezca a su vez el almirante Nelson resultó muerto a bordo del *Victory*, para evitar la corrupción su cadáver fue llevado a Inglaterra en un barril de brandy, hubo un exceso de toneles en Trafalgar, ¿no creen ustedes?;

nadie se ríe, fin de la conversación, no hay más temas de interés común, hubiera preferido cenar con gente de mi idioma o norteamericanos, para mí es igual, hablo como ellos, vivo en Manhattan desde niño, mi padre fue otra víctima de Porfirio Díaz cuando hubo la rebelión de 1879, pero he llegado el último y no debo quejarme, fue una suerte hallar pasaje en estas condiciones;

por los nervios ceno mucho, no acepto jugar brid-
ge con los noruegos, me acuesto, no logro dormir, el
barco cruje, oscila, salta, me asomo por la claraboya,
no veo nada, tinieblas profundas, pero oigo el chasquido de las olas como un sollozo, qué extraño, qué
ganas de hablar con alguien, no, no quiero vestirme
para subir al salón en donde aún habrá gente;

tampoco puedo leer con este zangoloteo, ahora
cuando ya se ha inventado casi todo ¿por qué no harán
barcos insumergibles y estables?, ¿y si algo nos pasa-
ra?, con todo y telegrafía sin hilos, el descubrimiento
genial de Marconi, ¿quién va a auxiliarnos en estas so-
ledades?, por fortuna en el Golfo de México no hay áis-
bergs, la corriente tropical los disuelve, no nos amenaza una tragedia como la del *Titanic,* eso nunca volverá
a suceder;

qué cosas tiene el mar, está loco, nadie lo entiende,
nos da una noche en el infierno y al amanecer como
un plato, tranquilo, ni un rizo en la superficie, qué se
hicieron las grandes olas nocturnas, y aunque el capitán echa las máquinas a todo vapor para seguir por
este océano de aceite, vamos como si el *Churruca* fuera un barco de vela, qué extraño;

lo bueno es que ya vi a la españolita, los viejos
deben de ser sus padres, bellísima, cómo acercarme a
ella, mejor esperar a que se rompa el hielo y brote la
falsa camaradería de todo viaje, porque al desembarcar, plaf, se acabó, las cosas vuelven a ser como antes,
haz de cuenta que nunca nos hubiéramos visto, qué
raro, o no tanto, porque nadie sabe si llegará a puer-

to con vida, y entonces fingimos, nada me preocupa, me siento como en un paseo a orillas del río;

por suerte el hombre que está con ellos es el encargado del Casino Español en México, me acerco, qué gusto de verlo, encantado, señor, beso su mano, señora, a sus pies, señorita, y a las pocas horas ya estamos en las sillas de extensión conversando, eso sí, con los padres al lado, qué encanto de niña, tuve la precaución de quitarme la alianza matrimonial que cargo en el dedo como la argolla de un buey, si Cathy me viera cuando no estoy con ella, bueno, supondrá que en los viajes me doy mis escapadas, los yanquis hacen lo mismo, aunque tengan cuatro hijos como yo y uno más en camino;

pobre Cathy, sola todo el año, tienen la culpa los laboratorios Cunningham y mis esfuerzos por inundar Sudamérica de ferroquinas, píldoras y tricóferos, cuando menos su madre ya no vive en Albany, se cambió a Brooklyn para estar cerca de ella, nunca me he llevado bien con mi suegra aunque adora a los niños;

primera vez que Isabel viene a América, le hablo del prodigio que significa Manhattan, la ciudad en que comienza el futuro; sólo Manhattan es Nueva York, los demás distritos no importan; le cuento del ferrocarril subterráneo, los túneles que se construyen bajo el Hudson y el East River, le digo que gracias a los ascensores existen los rascacielos y gracias a los rascacielos hay ascensores en todo el mundo, de la misma manera que el tren elevado exigió la invención de las escaleras eléctricas, este mismo año en las grandes tiendas de departamentos habrá escaleras eléctricas, le hablo del Niágara y el camino de hierro de Veracruz a México, su padre dirigirá una fábrica de tejidos en Puebla, no cree que vaya a haber otra revolución contra el presidente Madero, en cambio está preocupado por Cuba;

qué delicia Isabel, nació en Túnez, qué extraño, la creí madrileña o andaluza, no, es catalana como sus padres, el mar reverberante, hace calor a pesar de la brisa, me sonríe, no estoy bien vestido, pasan hombres de cuello duro, bombines, cachuchas, pecheras albeantes, la orquesta inicia *Maple Leaf Rag,* cómo suena el catalán le pregunto, Isabel es la perfección, la juventud y toda la belleza del mundo, fragancia de agua de colonia, el viento empuja el cabello hasta su boca, me enseña algunas palabras, *oratge* tempestad, *comiat* despedida, *matí* mañana, *nit* noche, ¿cómo se dice en catalán hay baile esta noche?;

me desespera cenar con los noruegos, Isabel y yo nos miramos de lejos, hasta que al fin la tengo en mis brazos, los padres sólo nos dejan bailar valses no tango, me alegra porque no sé los pasos, mil gracias, hasta mañana, Isabel;

segunda noche, *nit,* de no dormir, pienso en ella, Isabel estará pensando en el novio que dejó en Barcelona, idiotez sentir celos, cómo voy a exigir fidelidad a quien no tiene compromiso alguno conmigo, ni siquiera soñó en este encuentro, sería terrible enamorarme de ella, qué diablos, siempre me pasa lo mismo, en vez de gozar del presente ya me entristece la futura nostalgia por el ahora que no volverá;

en el muelle de Veracruz nos despediremos al bajar del *Churruca,* Isabel se irá a Puebla, me quedaré en el hotel Diligencias mientras llega el barco para Nueva York, no nos veremos nunca o al volvernos a ver seremos otra vez desconocidos, qué triste, pero queda un día más a su lado, un último día, estamos de regreso en cubierta, el sol resplandece sobre el mar en perpetua calma, a lo lejos pasan otros vapores, llegamos a la popa, los padres vigilan sentados en el puente con el español del Casino;

y estoy cerca de ti, Isabel, tienes dieciocho años, en cambio yo estoy perdiendo el cabello, empiezan a salirme las canas, siento que me ha pasado todo, tú apenas abres los ojos, tu vida está por delante, quisiera tomarle la mano, abrazarla, besarla, no sé, le digo mira y sonríe, arrojan el pan que sobró de ayer, las gaviotas se precipitan a devorarlo, luchan por mendrugos mojados en agua de mar, ¿siempre van tras el barco?, sí cuando hay tierra cerca y también tiburones lo siguen, pero si no arrojan carne, cuando matan un animal echan los desperdicios al agua, traen bueyes, cerdos, carneros, gallinas, ¿ah, sí?, no sabía, los traen vivos, los matan allá abajo, ¿de dónde crees que provienen nuestras comidas?;

¿te gustaría ver la sala de máquinas?, es prodigioso el mecanismo del barco, los trasatlánticos son maravillas de la ciencia aplicada, ni dirigibles ni aeroplanos podrán sustituirlos jamás, te impresionó mucho lo del

*Titanic* ¿no es cierto?, fue una desgracia aislada, no habrá otro accidente como ése;

nunca voy a olvidar este día, como Fausto decirle al instante, detente, detente, no quiero volver a la Calle 55, el *subway*, los domingos en Brooklyn, los juegos de los niños en Park Slope, los pleitos con los primos, el *stew*, el pay de manzana, la ferroquina, el tricófero, el talco, el jabón de olor, las pastillas para la tos, las píldoras digestivas, las tinturas de pelo, la loción revitalizadora, los almanaques rosados de Cunningham que contienen el santoral de todo el año, anuncian las fases de la luna y los eclipses, los mejores días para sembrar, pescar y cortarse el cabello y las uñas, no quiero saber más de las cuentas, los cobros, las comisiones, las muestras, los fletes, los viáticos, el papeleo, las rencillas dentro de la compañía, las ganancias y pérdidas, el desprecio afectuoso de Mister Cunningham para quien le da a ganar millones de dólares al año y le ha abierto los mercados de todo el continente a cambio de un sueldo miserable y unas comisiones ridículas, no quiero volver a todo eso, quiero pasar la eternidad contigo, Isabel, la eternidad contigo, ¿me escuchas?;

qué pronto, qué pronto ha llegado la noche, la última noche en el barco, antes de que oscurezca le señalo una cumbre nevada, mira, es el Citlaltépetl, el Pico de Orizaba, la montaña más alta de México, llegaremos a Veracruz en el alba;

fiesta de despedida, último baile, ven, Isabel, déjame sentirte en mis brazos, giramos en el vals *Sobre las olas*, no tiene mucho repertorio la orquesta, ahora toca otra vez *La paloma*, le cuento a Isabel, mi madre la cantaba en mi cuna, en el Castillo de Bouchot Carlota, demente, la sigue escuchando en su interior como si aún estuviera en 1866, cuatro años más y su locura cumplirá medio siglo, pobre Carlota, supone que Maximiliano está vivo, ignora el fusilamiento en Querétaro, cree que no tardará en abrir la puerta del otro castillo, Chapultepec, Miramar, qué tristeza;

la gente abandona el salón, sus padres la llaman, Isabel, no te vayas, quieren estar frescos para el desembarco, oficial, ¿a qué hora fondeamos?, a las seis si Dios quiere, señor, don Baltasar me tiende la mano, fue un placer conocerlo, don Luis, el gusto fue mío, señora, si van a Nueva York allí estoy siempre a sus órdenes, de otra manera haré con el mayor placer cuanto pueda ofrecérseles, ya le di a don Sebastián mi tarjeta, no, no, Isabel, ahora no, nos diremos adiós mañana en el muelle, nunca más, Isabel, nunca nunca, ¿se humedecieron sus ojos?, ¿fue una alucinación?, ahora siento la sal de mis lágrimas, qué vergüenza, he llorado, me han visto;

no dormiré, beberé, camarero, otra igual, que esto pase a mi edad es el colmo, ¿cuánto whisky, cuánto vino he bebido?, hace calor, tengo sueño, frescura de la brisa en cubierta, ya se ven las luces de Veracruz, aún no, sólo el faro, los faros, las islas, la delicia de hundirse en las mantas, ven conmigo, Isabel, no te vayas, me adormezco, me duermo, estoy dormido, sueño algo imposible de recordar, ya no sueño, despierto, alguien toca;

¿quién llama?, Isabel, no es posible, ¿por qué viene sola Isabel, por qué la dejan venir sola a verme?, abro, oigo gritos, carreras, lamentos, me pregunto, le pregunto ¿qué pasa?, no sabes, es horrible, no sabes, ¿qué pasa?, y ahora ella me interroga, me dice ¿cuándo salimos de La Habana?, el 20 de mayo de 1912, respondo, ¿qué día es hoy?, 23, 24, qué importa;

no no no, me contesta llorando, es el 23 de noviembre de 2012, algo pasó, nos tardamos en llegar todo un siglo, no puedes imaginarte lo que ha ocurrido en el mundo, no lo podrás creer nunca, mira, asómate, dime si reconoces algo, hasta la gente es por completo distinta, no nos permiten desembarcar, están enloquecidos, dicen que es un barco fantasma, el *Churruca* de la Compañía Trasatlántica Española se perdió en el mar al salir de La Habana en 1912, tú y yo y todos los que viajamos en él sabemos que no se hundió, para nosotros sólo han pasado tres días, estamos vivos, tenemos la edad que teníamos hace cien años al zarpar de La Habana, pero cuando bajemos a tierra ¿qué ocurrirá?, Dios mío, ¿cómo pudo pasarnos lo que nos pasó, cómo vamos a vivir en un mundo que ya es otro mundo?

# Últimos títulos